Markus Wöhrer

Wege zum Träumen – Teil 4

wunderschöne Fabeln, Mythen und Legenden aus der ganzen Welt

Bibliografische Information der Deutschen Nationalbibliothek. Die Deutsche Nationalbibliothek verzeichnet diese Publikation in der Deutschen Nationalbibliografie; detaillierte bibliografische Daten sind im Internet über **http://dnb.d-nb.de** abrufbar.

© 2019 Markus Wöhrer, Hernstein

Herstellung und Verlag: BoD – Books on Demand, Norderstedt.

www.bod.de

ISBN: 9783748196945

„Wege zum Träumen – Teil 4

wunderschöne Fabeln, Mythen und Legenden aus der ganzen Welt"

In diesem Buch beschäftige ich mich einigen Fabeln, Mythen und Legenden der Kelten, mit dem Mittelalter, mit dem Buddhismus, dem Hinduismus, dem Islam, Elfen und Kobolden, einigen Fabelwesen, mystischen Wesen, mit Weihnachten und dem Brauchtum, einigen humoristischen Fabeln, mit der Weisheit und Moral, einigen Fabeln zum Nachdenken, mit Tieren und dem Jahreskreislauf.

Viel Spaß auf Eurem **„Weg zum Träumen"**!

Inhaltsverzeichnis

Keltisch

Als Kelten (lateinisch Celtae oder Galli) bezeichnete man seit der Antike Volksgruppen der Eisenzeit in Europa. Der Name ist wahrscheinlich von den indogermanischen Wurzeln kelh – „schlagen" oder ḱel- „verbergen" abgeleitet und bedeutet sinngemäß „die Mächtigen, Erhabenen, Starken"

-Info von Wikipedia-

Das Ringwunder von St. Mungo

In alter Zeit lebte ein König in Glasgow, der seiner Frau, der Königin einen wertvollen Ring schenkte. Die Königin jedoch erlag nach einiger Zeit den Reizen eines Soldaten und schenkt ihm den Ring. Einer der Berater des Königs erfuhr dies und berichtete es dem König, der sich sofort aufmachte, um den Soldaten zu suchen. Als er ihn schlafend am Ufer eines Flusses fand, zog er ihm den Ring vom Finger und warf ihn in den Fluss. Was er mit dem Soldaten machte, ist nicht bekannt. Nun wollte der König seine Frau zur Rede stellen ob ihrer Untreue. Listig forderte er sie auf, ihm den Ring zu zeigen, dass er ein passendes Halsgeschmeide herstellen lassen könne. Die Königin lies verzweifelt den Soldaten suchen, aber niemand konnte ihn finden. Da bat sie in ihrer Not St. Mungo um Hilfe. Der Ring befand sich inzwischen im Magen eines Lachses, der ihn verschluckt hatte und St. Mungo sorgte dafür, dass der Lachs gefangen und an Die Küche der Königin geliefert wurde. So fand sie den Ring wieder und zeigte ihn dem König. Als er sah, dass sich der Ring im Besitz seiner Gemahlin war, glaubte er, dass seine Berater eine Intrige gegen sie gesponnen hätten und verhängte schwere Strafen gegen sie.

Das Sieb

In Slapin, einem Dorf am Loch Slapin auf der Insel Sky geschah die folgende Geschichte: Es lebte dort ein Schneider
mit seiner Frau. Ihre Nachbarn war ein Fischerehepaar.
Man sagt, die Männer waren ehrlich und rechtschaffen,
aber jeder munkelte davon, die Frauen waren Hexen. Nach
einem harten Arbeitstag draußen auf See kam der Fischer
müde nach Hause, legte sich in der Kammer nieder und
schlief ein. Eine Zeit später weckten ihn zwei Frauenstim-
men auf, es waren die seiner Frau und der Nachbarin. Er
blieb stillliegen und lauschte, was sich die Frauen so erzäh-
len, wenn sie sich unbeobachtet fühlen. Sie berieten, was
sie nun tun wollten und beschlossen, dass sie zum Fischen
gehen wollten.

„Was nehmen wir zum Fischen?" fragte die Fischersfrau
und die Nachbarin antwortete: „Nehmen wir doch ein
Sieb."

Geschäftig gingen sie im Haus umher und suchten sich ein
Sieb aus. Der Fischer lachte still in sich hinein ob der Dumm-
heit der zwei Frauen und beschloss, bei dieser seltsamen
Fischerei zuzuschauen und räkelte sich, als erwache er gerade, als die Frauen das Haus verlassen wollten.

Er fragte sie: "Wo wollt ihr hin?"

„Oh, schlaf weiter Mann, wir wollen ein bisschen Fischen gehen."

„Oh nein, ich werde euch begleiten" sagte der Fischer und erhob sich, um den zwei Frauen zu folgen.

Doch die Frauen wehrten sich gegen seine Begleitung und erreichten endlich den Strand und das Fischerboot. Sie beschworen den Mann wieder heimzugehen, aber er wollte am Ufer bleiben und zuschauen, wie die Frauen fischen wollten.

Endlich willigten die Frauen ein, aber sie stellten eine Forderung: „Du darfst kein unnötiges Wort sprechen und vor allem darfst du den Namen des Herrn nicht in den Mund nehmen. Aber, du musst uns sagen, wenn wir genug gefangen haben."

„Das will ich gerne versprechen" antwortete der Fischer und machte es sich am Ufer gemütlich.

Die Frauen nahmen nicht wie der Fischer erwartete sein Fischerboot, sondern sie gingen mit dem Sieb zum Wasser, setzten es dort ab und verwandelten sich in zwei Ratten. Diese krabbelten in das Sieb und trieben ein kleines Stück, vom Ufer weg. Da erschien ein Schwarm Heringe nah am Ufer, ja trieb auf den Strand.

„Haben wir genug Fische?" riefen die zwei aus ihrem Sieb zum Ufer.

Der Fischer rief laut: "Nein, das genügt noch nicht!"

So schwammen sie mit ihrem Sieb etwas weiter aufs Meer und wieder kam ein Schwarm Heringe ans Ufer.

„Ist es jetzt genug?" riefen sie vom Meer.

„Nein es reicht noch immer nicht!" rief er zurück und sie schwammen noch ein Stück weiter raus aufs offene Meer. Noch mehr Fische erschien am Ufer, es waren so viele Fische, dass das Ufer nicht mehr zu sehen war, denn die Fische bedeckten die ganze Fläche, ja, sie lagen in mehreren Schichten übereinander.

Der Fischer dachte an den Reichtum, den er so erwerben konnte, dass das harte Tagwerk endlich der Vergangenheit angehörte und rief: "Ja, Gott sei Dank, es reicht!"

Bei diesen Worten versank das Sieb mit den Zwei Ratten im Meer. Die Frauen wurden nie mehr gesehen.

Der Feenjunge

Vor langer Zeit lebte in Laith ein kleiner Junge. Die Legende sagt, dass er die Gabe hatte, mit Hilfe der Feen in die Zukunft zu sehen. Er konnte die Feen auch besuchen. Dazu benutzte er einen Eingang zu ihren unterirdischen Höhlen unter den Carlton Hills, den er dank seiner Kräfte sehen konnte, der jedoch für jeden normalen Sterblichen unsichtbar war.

Dort feierte er mit den Feen und trommelte den Takt, wenn sie tanzten. Sie flogen auch oft in fremde Länder. Aber immer kehrte er zurück, bevor die Sonne aufging.

Ein Mann von Laith war jedoch besessen von dem Gedanken, herauszufinden, was der Junge trieb. Unbedingt wollte er das Geheimnis um diesen seltsamen Jungen lüften. Er folgte ihm immer wieder, wenn der Junge die Stadt verließ. Aber, egal wie oft er dem Jungen folgte, wenn dieser in die Carltonhügel ging, er wurde jedes Mal irregeführt und vertrieben.

So konnte der Junge mit seinen Nachrichten von zukünftigem Geschehen unbehelligt zurückkehren.

Der Gutsbesitzer von Co'

Vor vielen hundert Jahren lebte der Gutsbesitzer von Co´ in dem alten Schloss Culzen in Aryshire. Dort kam eines Tages ein kleiner Junge zu ihm, zeigte ihm seinen hölzernen Becher und bat um einen Becher voll Ale, für seine kranke Mutter. Der Gutsbesitzer befahl nun seinem Diener den Becher bis zum Rand zu füllen. Der Diener konnte seinen Augen nicht trauen, denn er brauchte ein halbes Fass Ale und der Becher war noch immer nicht voll. Er lief zu dem Gutsbesitzer, um sich zu beschweren, denn er hatte keine Lust auch noch ein neues Fass anzustechen und das alles, wegen eines kleinen Bettlerjungen. Aber der Gutsbesitzer sprach: ich habe dem Jungen einen Becher Ale versprochen, also willst du mich dazu verführen mein Wort zu brechen? Geh und fülle den Becher, egal wie viele Fässer du anstechen musst. Also stach der Diener brummend ein neues Fass an und schon ein Tropfen reichte, um den Becher zu füllen.

 Es vergingen viele Jahre und niemand dachte mehr an diesen unbedeutenden Zwischenfall. Es gab Krieg und der Gutsbesitzer wurde mit seinen Kameraden in Flandern vom Feind gefangen genommen und zum Tode verurteilt. Ohne Hoffnung auf Rettung saß er im Verlies und wartete auf die Hinrichtung.

Aber in der Nacht zuvor wurde die Zellentür wie von Geisterhand lautlos geöffnet und er sah den kleinen Jungen, dem er vor Jahren den Becher Ale geschenkt hatte. Er sprach: „Komm mit mir, Gutsherr von Co´" Als der Gutsherr hinaustrat in die Nacht sagte der Junge, der in Wahrheit zum Folk der Feen gehörte, zu ihm:" Eine gute Tat, wird von uns immer mit einer guten Tat vergolten, ich danke dir, für die großzügige Gabe, die du meiner Mutter hast zukommen lassen." Mit diesen Worten nahm er den Gutsherrn auf seine mageren Schultern und rannte los. In Sekundenschnelle kamen sie am Schloss Culzen in Aryshire an und der Junge verschwand.

Der Schuster von Selkirk

Jeden Morgen stand ein fleißiger Schuster, der in Selkirk nahe an der Grenze lebte, schon vor Tagesanbruch auf, um sein Tagewerk zu beginnen. Er war ein ehrlicher und rechtschaffener Mann, der mit seiner Frau in einfachen Verhältnissen lebte und dessen zufrieden war. Eines Montags kam ein Fremder gekleidet in einem schwarzen Mantel in seine Werkstatt und sah sich um, Er entdeckte einen einzelnen Schuh auf einem Regal, den Zweiten hatte der Schuster noch auf dem Leisten in Arbeit. Er probierte ihn an und stellte fest, dass er wie angegossen passte. Der Fremde bot dem Schuster für den einzelnen Schuh Goldmünzen an. Obwohl der Schuster sich wunderte, nahm er das Gold und versprach, dass der zweite Schuh am nächsten Tag fertig sei. Der Fremde sagte, dass er am nächsten Morgen vor Anbruch des Tageslichts wiederkommen werde. Erstaunt und befremdet stellte der Schuster fest, dass unter den Goldmünzen Würmer waren. Tatsächlich erschien der Fremde in seinem schwarzen Mantel am nächsten Morgen, sobald der Schuster die Tür geöffnet hatte, er nahm den zweiten Schuh, bezahlte ihn und verließ das Haus. Aber der Schuster war nun doch sehr neugierig und schlich dem Fremden nach, um zu sehen, woher er kommen möge. Der Fremde ging zum Friedhof des Ortes und verschwand an einem Grab. Dem Schuster grauste und er kehrte um. Einige Zeit später vertraute sich der Schuster einigen Freunden an und

zusammen beschlossen sie, das Grab zu öffnen, um nachzusehen. Sie waren verwundert, als sie in dem Grab eine Leiche fanden, die die neuen, von dem Schuster hergestellten
Schuhe trug. Da Der Schuster der Meinung war, der Tote
habe keine Verwendung für diese neuen Schuhe, nahm er
sie mit und stellte sie in seine Werkstatt. Als der nächste
Morgen anbrach, hörte die Frau des Schusters einen furchtbaren und grauenerregenden Schrei.

Er kam aus der Werkstatt ihres Mannes. Als sie nach-
schaute, war ihr Mann verschwunden. Die Freunde beichte-
ten, was sie am Vortag gemacht hatten und so wurde das
Grab erneut geöffnet. Voll von Erstaunen und Grausen sahen sie, dass die Leiche wieder die neuen Schuhe trug. Aber
noch mehr Grauen erfüllte sie, als sie sahen, dass der Tote
auch die Nachtmütze des Schusters in seinen Knochenhän-
den hielt. Der Schuster ward von diesem Tag an nie mehr
gesehen.

Glaistig

An der Westküste on der Nähe von Firth of Clyde liegt eine kleine Insel. Dort lebte eine Frau namens Glaistig, die eigentlich menschlich war, aber sie nahm allmählich immer mehr Eigenschaften von Feen an.

Trotzdem liebte sie die menschliche Gesellschaft ihrer Nachbarn. Nachts hütete sie das Vieh in den Hügeln der Insel.

Eines Tages traf sie dort auf einen sehr unfreundlichen Bauern, der sie mit seinen harten Worten und sein schlechtes Benehmen zutiefst beleidigte.

Sie war wirklich schwer gekränkt und beschloss deshalb die Insel zu verlassen. Da Glaistig kein Boot besaß, beschloss sie die Insel Beinn Bluide und den Felsen namens Ailsa Graig im Firth als Trittsteine zu benutzen.

Aber, als sie mit einem Bein auf der Insel Beinn Bluide und mit dem andern und dem Fels Ailsa Graig stand näherte sich ein Dreimaster und bei dem Versuch, das Festland zu erreichen, blieb Glaistig an dem Mast des Schiffes hängen.

Sie verlor den Halt und stürzte ins Meer, Niemand hat sie seither je wiedergesehen. Sie wurde von den Menschen der Insel sehr vermisst, denn sie hatten niemand mehr, der so zuverlässig ihre Tiere in der Nacht hütete und beschützte.

Die Hexen von Skye

Auf der Insel Skye wohnte einst ein Bauer mit Frau und Kind in der Nähe der Südspitze der Insel. Eines Tages war der Bauer mit seiner kleinen Tochter auf dem Feld am Point of Sleat. Sie hatten einen Ausblick bis hinüber zur Insel Eigg. Als sie von der Arbeit rasteten und aufs Meer hinausschauten, sahen sie ein Schiff. Der Bauer redete mit seiner Tochter und schaute wieder hinaus und sah, dass das Schiff am unter gehen war. Er schloss die Augen, denn er dachte sie spielen ihm einen Streich, aber als er wieder hinschaute, sah er nur noch den Mast, aber auch der versank schnell in den Meerestiefen. Entsetzt beugte er sich zu seiner Tochter und sagte: „Wie konnte das geschehen? Wir haben gutes Wetter, die Sonne scheint und der Wind ist nicht stark, wie konnte dieses Schiff so schnell versinken?"

Die Tochter sah ihn aus ihren hellblauen Augen kalt an und sagte: „Das war ich. Ich habe es dazu gebracht zu verschwinden."

Der Bauer war ungläubig und entsetzt und fragte sie: „Was willst du getan haben? Wie konntest du so etwas schreckliches tun?"

„Es hat meine Aussicht gestört deshalb habe ich es getan," meinte sie ungerührt. Voller Entsetzen fragte er das

Mädchen: „Wer hat dir das beigebracht? Ist die klar, dass da Menschen auf dem Schiff waren, die elend ertranken? Wer hat dich gelehrt so schreckliche Taten zu vollbringen?" Sie stand auf und stand immer noch ohne jede menschliche Regung vor ihm und antwortete: „Ach Vater, was weist du denn, das hat mich Mutter gelehrt."

Das Grauen packte den braven Mann, er hob den Spaten, den er immer noch in der Hand hielt, hoch und erschlug sein Kind. Dann lief er schnell nach Hause und erschlug dort seine Frau., Denn es war ihm klargeworden, dass sie eine sehr böse Hexe war und ihre Talente an die Tochter weiter-vererbt hatte. Niemand im Ort erwähnte die Frau mit ihrer Tochter jemals wieder, niemand redete über diese Tat, denn jeder wusste um die Bösartigkeit des Hexenge-schlechts auf der Insel Skye.

Ian und die Brownies

In einem kleinen Dorf hoch im Norden lebte ein Häuslerpaar in einer Steinhütte. Sie hatten einen kleinen Sohn namens Ian, der wie so viele Kinder in seinem Alter nie ins Bett wollte. Egal wie spät es war, Ian versuchte immer seine Mutter mit Widerworten um einen Aufschub zu bewegen.

Sie waren arme hart arbeitende Leute und die Mutter war manchmal ärgerlich, denn Holz zum Feuern und Kerzen um am späten Abend den Raum zu beleuchten waren sehr teuer und sie hatten nichts übrig, was sie verschwenden konnte, auch wenn das heimelige Feuer und der sanfte Kerzenschein Ian sehr gefielen. Er liebte es, neben seiner Mutter vor dem Feuer zu sitzen und ihren Geschichten zu lauschen.

Oft fielen ihm die Augen fast von alleine zu, aber wenn ihn seine Mutter dann aufforderte schlafen zu gehen, bettelte er um noch eine Geschichte.

Als er mal wieder seine Mutter zum wiederholten Mal dazu gebracht hatte, dass sei weitererzählte wurde sie unmutig, Sie hatte die ewige Bettelei satt und sagte: „Ist gut Ian, ich geh jetzt ins Bett, und wenn du nicht ins Bett willst, dann bleib hier sitzen, aber sei vorsichtig, dass die alte Fee dich nicht holt."

Überheblich, wie nur ein kleiner Bub sein kann, meinte er großspurig: „Baaaaaaa die alte Fee, die gibt's ja gar nicht, du willst mir nur Angst machen, mir geschieht nichts."

Während seine Mutter nun noch wie jeden Abend ein Schälchen Ziegenmilch bereitstellte für die Brownies und dann ins Bett ging, machte es sich Ian vor der Feuerstelle gemütlich und starrte zufrieden über seinen Sieg in die Flammen. Nach einiger Zeit wurde er jedoch sehr müde und er sehnte sich nach seinem Bett. Aber er kämpfte noch mit seinem Stolz und mochte nicht zugeben, dass es jetzt doch schön wäre, in seiner warmen Bettkiste zu liegen.

Als er plötzlich einen ungewohnten Lärm im Rauchfang hörte, Es rauschte, kratzte und polterte und dann kletterte eine dünne braune Gestalt hinter der Feuerstelle hervor. Langsam dämmerte ihm, dass dies ein Brownie war. Oh, das würde ihm sicherlich niemand glauben, dass er tatsächlich eines dieser scheuen und fleißigen Wesen tatsächlich gesehen hatte. Ihr müsst wissen, Brownies sind freundliche kleine Erdwesen, die es sich zur Aufgabe machten, der Hausfrau bei der Hausarbeit zu helfen. Heimlich in der Nacht, wenn alle schliefen nahmen sie den Hausfrauen einen großen Teil der Hausarbeit ab. Sie kehrten und putzten das Haus, reinigten das Geschirr, und taten alles, um die Hausfrau zu entlasten. Alles, was sie als Lohn für ihre nächtliche Hilfe erwarteten, war eine Schale Ziegenmilch. Nun sahen die zwei sich an, dass Brownie umkreiste Ian und Ian umkreiste das Brownie.

Endlich wagte Jan zu fragen: „Wie ist dein Name?" und das Brownie, das auch ein kleiner Scherzbold war und nie und nimmer einem menschlichen Wesen seinen wirklichen

Namen hätte verraten dürfen, schaut Ian listig an und sagte lächelnd „Mein Name ist „Ich" und wie ist dein Name?"

Erstaunt dachte Ian, „das ist doch kein Name, das Brownie will mich wohl ärgern" und sagte mit ernstester Miene; „Oh, welch eine Überraschung, das ist auch mein Name. Ja mein Name ist auch Ich."

Nun fing das Brownie an, in der Wohnung rumzuwuseln, es wusste nicht recht, wie es seinen Pflichten nachkommen sollte, wenn dieser kleine Mensch noch wach war, aber da Brownies ein lustiges und fideles Völkchen sind, hatte er auch Spass daran, mit dem Menschenkind zu spielen und so hüpften sie im Zimmer rum und machten manchen Schabernack. Irgendwann nahm Ian den Schürhaken und stocherte im Feuer herum, denn es war ziemlich runtergebrannt und es wurde allmählich kühl. Dabei passierte es, dass einige Stückchen Glut aus der Feuerstelle herausfielen und das herumhüpfende Brownie am Fuß trafen. Da Brownies zu allem Elend auch sehr schmerzempfindlich waren, fing es nun an erbärmlich zu heulen und schreien. Er heulte so laut, dass sich Ian vor Schreck in seiner Bettkiste verkroch. Das Geheul war so laut, dass es sogar die alte Fee hörte, die in dieser Nacht auf die Brownies aufpasste, ihn hörte.

Schnell kam sie zu dem Haus und rief durch das Kamin runter: „was heulst und schreist du so, was ist passiert?"

„Ich habe schlimme Schmerzen am Fuß, einige aufgestöberte Glutstücke haben mich am verbrannt!" Und wer war das, wer hat das getan?" Rief die alte Fee nach unten. Total wirr vor

Schmerz rief das Brownie: „ich war es, Ich hat mir das ange-
tan!"

Verärgert griff die alte Fee mit ihrer alten schrumpeligen
Hand mit den langen knochigen Fingern in das Kamin, und
erwischte das Brownie am Genick und zog es durch das Kamin hoch, wobei sie schimpfte: Was machst du nur für ein
Geschrei, wenn du dich selbst verletzt hast. Ich dachte schon,
du hast Menschen angetroffen, die noch wach waren. Aber
dein Geschrei hätte auch die Menschen aufwecken können.
Du weißt doch, dass das strengstens verboten ist und ich
dann den Menschen hätte zu unserem Volk mitnehmen müssen und das alles, weil du dich selbst verletzt hast. Du wirst
nie mehr zu den Menschen gehen dürfen"

Ian hatte sich seine Decke über den Kopf gezogen, denn er
hatte einen Heidenschreck vor der alten Fee bekommen und
wenn er daran dachte, dass sie ihn mit ihren knochigen Fingern erwischt und durchs Kamin gezogen hätte, da schüttelte
es ihn vor Schreck. Er versprach sich selbst im Stillen, dass er
nie mehr seine Mutter ärgern würde, wenn sie ihn aufforderte zu Bett zu gehen.

Am nächsten Morgen wunderte sich die Mutter, dass die
Schale Ziegenmilch, die für ihr Brownie bestimmt war, unan-
getastet und das ganze Haus unaufgeräumt und ungeputzt
war. Auch am Abend rieb sie sich verwundert die Augen, dass
Ian nach der ersten Aufforderung ohne jeden Protest flugs ins
Bett ging. Auch in Zukunft blieben die Brownies dem Haus
fern, und sie musste alle Hausarbeit allein tun, aber nie mehr

versuchte Ian auch nur eine Minute Aufschub beim Zubett-
gehen herauszuholen. Zu groß war seine Angst vor der alten
Fee, die die Aufsicht über die Brownies hatte.

Sturmhexen

Über die Sturmhexen, die im hohen Norden Schottlands leben, erzählt man, dass sie viele Gaben haben, die das Wetter betreffen. Sie sollen auch fähig sein, die Richtungen des Windes zu beeinflussen. In einem Fischerdorf namens Scouri lebte einst eine Sturmhexe, die den Fischern einen Ihn genehmen Wind herstellte und diesen an die Fischer und Kapitäne der Fischerboote verkaufte, die dadurch reiche Fischgründe erreichen und so einen guten Fang machen konnten.

Um dem Wind ihren Willen aufzuzwingen musste sie sich auf den höchsten Punkt über der Bucht stellen, von dort mit ihrem Zauberstab in die erwünschte Himmelsrichtung zeigen und einen gälischen Zauberspruch, einen „Geasan", rezitieren.

Davon konnte sie ihren Lebensunterhalt gut bestreiten. Eines Tages kam ein Kapitän zu ihr, denn er wollte unbedingt einen Ostwind haben. Sie machte für ihn einen Ostwind, aber der Kapitän wollte nicht bezahlen denn, so sagte er, der Wind hätte sich auch ohne ihr Zutun auf Ost gedreht und er eilte zu seinem Schiff, um in See zu stechen.

Die Hexe war empört über die Frechheit des Kapitäns und eilte auf den Hügel. Als sie sah, dass der Kapitän mit dem Ostwind aus dem Hafen segelte, Hob sie ihren Zauberstab und gebot dem Wind zu drehen. Dadurch wurde das Schiff auf die Klippen gedrängt, und zerschellte. Der Kapitän und die

Mannschaft konnte gerettet werden und der Kapitän schwor, nie mehr die Sturmhexe zu betrügen. Niemand im Fischerdorf traute sich zukünftig, den Versuch zu machen, die Hexe zu verärgern.

Mittelalter

Mittelalter bezeichnet in der europäischen Geschichte die Epoche zwischen dem Ende der Antike und dem Beginn der Neuzeit, also ca. zwischen dem 6. und 15. Jahrhundert. Sowohl der Beginn als auch das Ende des Mittelalters sind Gegenstand der wissenschaftlichen Diskussion und werden recht unterschiedlich angesetzt.

-Info von Wikipedia-

Die Fabel vom Vater, dem Sohn und dem Esel

Einst ging ein Mann mit seinem Sohn zum Markt. Er nahm seinen Esel mit und ritt auf ihm; sein Sohn ging nebenher. Da begegneten ihnen Leute, die verwundert sprachen: "Wie kann der Alte reiten und das Kind laufen lassen.? Er sollte besser selber gehen und das Kind aufsitzen lassen." – Der Alte richtete sich nach diesen Worten und ließ seinen Sohn reiten. Sie begegneten zwei Männern, und der eine sagte zum andern: "Der Alte ist ein Narr, dass er selbst läuft und den Knaben reiten lässt." Nun setzte sich der Vater zu seinem Sohn auf den Esel. Als sie wieder Leute trafen, sagten die: "Um Gottes willen, die beiden reiten den Esel zuschanden!" Nun stiegen beide ab und liefen neben dem Esel her. Da kamen Männer und Frauen und sagten: "Schaut diese Torheit: da läuft der alte Mann mit seinem Sohn, und den Esel lassen sie ledig gehen!"

Da sprach der Vater: "Wir wollen nun beide den Esel tragen; ich möchte wissen, was die Leute dazu sagen." Sie banden dem Esel die Beine zusammen und trugen ihn auf einer Stange. Die Leute sagten: "Man sieht, dass beide Narren sind." Da seufzte der Alte und sprach zu seinem Sohn: "Wie wir es auch gemacht haben, keinem war es recht. Darum rate ich dir, immer das Richtige zu tun; dann wirst du selig werden." Wer in Ehren bestehen will, soll sich durch Gerede nicht irre machen lassen. Was man auch Gutes tut, der Welt ist es nicht gut genug.

Die klugen Leute

Auf kühlem Felsen steht am rechten Gelände des oberen Donautales die stattliche Feste Wildenstein. Viele Jahrhunderte zogen über ihre Zinnen hinweg, aber sie trotzte allen Stürmen einer wild bewegten Zeit. Von den Besitzern der Burg erhielt sich wegen seiner launigen Einfälle Ritter Hans von Zimmern lange im Gedächtnis des Volkes. Hans von Zimmern lebte im Anfang des 15. Jahrhunderts und hatte von Kaiser Rupprecht von der Pfalz und dessen Sohne Ludwig die Feste Wildenstein als Mannslehen erhalten.

Er war ein wunderlicher Herr, der sich gern tolle Späße erlaubte und über den man sich hin wieder lustig machte, wie es einmal von den Bauern von Wittershausen geschah. Die Wittershausener hielten sie für kluge Leute und nicht mit Unrecht. Einmal erfuhren sie, dass Hans von Zimmern an ihrem Orte vorbeiziehen werde, und glaubten, sie dürften ihn zum Besten haben. Ihrer viele gingen deshalb auf die Straße hinaus, auf der er herkommen musste, setzen sich in einem Kreise nieder und legt die Beine so ineinander, dass man nicht mehr unterscheiden konnte, wem die einen und wem die anderen gehörten.

Als sie nun den Herrn von Zimmern kommen sahen, begannen sie miteinander zu zanken und zu hadern, schnitten jämmerliche Gesichter und riefen laut um Hilfe.

Als der Freiherr sich näherte und dieses sonderbare Benehmen der Bauern gewahrte, fragte er, was sie den miteinander hätten.

„Ach, gnädiger Herr," riefen sie, „wir haben unsere Füße miteinander verloren und keiner kann mehr die seinigen finden."

Hans von Zimmern machte eine erstaunte Miene, als er diese Antwort vernahm, noch mehr verwunderte er sich aber, als die Bauern ihn allen Ernstes baten, er möchte jedem wieder zu seinen Füßen verhelfen, sie wollten ihm gern dafür jährlich einen Sack Korn schicken. Der Freiherr besann sich nicht lange, nahm einen wuchtigen Knüppel und schlug solange auf die Beine der Bauern los, bis jeder die seinen an sich zog. So war der sonderbare Streit auf ganz einfache Weise geschlichtet. Aber Hans von Zimmern, den es doch verdross, dass die Bauern sich mit ihm einen Spaß erlaubt hatten, gedachte diese nun auch daran zu bekommen und ihnen für alle Zeit dergleichen Tollheiten zu verleiden. Die Bauern hatten ihm versprochen, für seine Hilfe ihm jährlich einen Sack Korn zu liefern. Er packte sie nun beim Wort und ließ sogleich eine Urkunde darüber abfassen und sie bestätigen. Als bereits ein halbes Jahr um war und man das Getreide eingeheimst hatte, erinnerte sich Hans von Zimmern wieder der Bauern.

Er ließ einen ungemein großen Sack anfertigen, so dass er, wenn er voll war, kaum auf einen Wagen Platz hatte. Mit diesem schickte er seinen Vogt zu dem Bauern und verlangte, sie sollten ihn mit Korn füllen. Da gab es große Augen zu

Wittershausen; es half jedoch alles nichts. In der Urkunde war nämlich nur die Rede von einem Sack Korn, nicht aber, wie groß er sei, während die Bauern nur einen halben Malter gemeint hatten. Sie konnten deshalb nichts dagegen erwidern und es schien ihnen das Beste, gute Miene zum bösen Spiele zu machen.

Sie trösteten sich damit, es werde schon einmal eine Gelegenheit kommen, den Schaden wiedergutzumachen und den Freiherrn ebenso, wie er sie, zu übervorteilen.

Lange sannen sie hin und her, wie das geschehen könne, bis sie endlich auf einen klugen Einfall kamen.

Die Wittershausener waren eben daran, ein neues öffentliches Gebäude aufzuführen. Da beschlossen sie, den Herrn von Zimmern anzugehen, er möchte Ihnen behilflich sein und sie unterstützen. Sie schickten daher ihrer mehrere zu ihm, welche die Bitte vorbringen sollten, in den Waldungen des Freiherrn einige große Bäume fällen zu dürfen. Das Ansuchen wurde gewährt.

Nun zogen die Bauern an das äusserste Ende des Waldes und fällten dort einige der größten Stämme. Diese wollten sich nun ins Dorf führen. Da aber kein fahrbarer Weg vorhanden war, schickten sie wieder einige Boten zum Freiherrn mit der Bitte, er möchte ihnen gestatten, einen Weg anzulegen, auf dem sie die niedergehauenen Bäume nach Hause bringen könnten; auch möge er ihnen alle Stämme, die dabei gefällt werden müssten, schenken.

Auch diese Bitte gewährte ihnen Hans von Zimmern, der an nichts Arges dachte. Nun eilten die schlauen Bauern mit Pferd und Wagen in den Wald, um die Bäume zu holen, luden aber die Stämme nicht der Länge, sondern der Breite nach auf und fällten links und rechts alles, so dass sie leicht mit ihrem Fuhrwerk vorwärtskommen konnten. Das geschlagene Holz führten sie bis auf den letzten Ast nach Hause, wie der Freiherr ihnen erlaubt hatte. so hatten die Bauern einen Ersatz für das gelieferte Korn erhalten, bewirken aber dadurch nur, dass die unliebsame Korngült umso strenger ein gehoben wurde. Später söhnten sie sich mit dem Freiherrn aus und überließen ihm den Kirchensatz zu Wittershausen, wofür er auf das leidige Korngült verzichtete.

Buddhistisch

Der Buddhismus ist eine Lehrtradition und Religion, die ihren Ursprung in Indien hat. Sie hat weltweit je nach Quelle zwischen 230 und 500 Millionen Anhänger – und ist damit die viertgrößte Religion der Erde (nach Christentum, Islam

und Hinduismus). Der Buddhismus ist hauptsächlich in Süd-
, Südost- und Ostasien verbreitet. Etwa die Hälfte aller Buddhisten lebt in China.

Die Buddhisten berufen sich auf die Lehren des Siddhartha
Gautama, der in Nordindien lebte, nach den heute in der
Forschung vorherrschenden Datierungsansätzen im 6. und
möglicherweise noch im frühen 5. Jahrhundert v. Chr. Er
wird als der „historische Buddha" bezeichnet, um ihn von
den mythischen Buddha-Gestalten zu unterscheiden, die
nicht historisch bezeugt sind. „Buddha" (wörtlich „Erwach-
ter") ist ein Ehrentitel, der sich auf ein Erlebnis bezieht, das
als Bodhi („Erwachen") bezeichnet wird. Gemeint ist damit
nach der buddhistischen Lehre eine fundamentale und be-
freiende Einsicht in die Grundtatsachen allen Lebens, aus
der sich die Überwindung des leidhaften Daseins ergibt.
Diese Erkenntnis nach dem Vorbild des historischen Buddha durch Befolgung seiner Lehren zu erlangen, ist das Ziel
der buddhistischen Praxis. Dabei wird von den beiden Ext-
remen selbstzerstörerischer Askese und ungezügeltem He-
donismus, aber auch generell von Radikalismus abgeraten,
vielmehr soll ein Mittlerer Weg eingeschlagen werden.

-Info von Wikipedia-

Buddha

Buddha lebte von 560 bis 480 v. Chr. Stichworte zum Lebenslauf von Buddha: Erleuchtung, Ewiger Kreislauf und Buddhismus. Kurze Zusammenfassung der Biographie: Buddha stiftete eine atheistische Religion. Im Buddhismus endet das Leiden endet durch die Aufhebung der Begierde.

ca. 560 v. Chr. Buddha wird unter dem Namen Siddharta Gautama geboren. Siddharta heißt "Der sein Ziel erreicht hat". Sein Geburtsort Lumbini befindet sich in der Grenzregion zwischen Indien und Nepal. Er entstammt aus dem Adelsgeschlecht der Shakya. Den Namen Buddha (der Erleuchtete) gibt er sich erst später. Das Geburtsdatum des Religionsstifters ist unklar, einige Quellen datieren ihn über 100 Jahre später.

544 Heirat mit Yasodhara, der Tochter des Fürsten Suppabuddha. Anmerkung: Der Name Suppabuddha (Pali) entspricht Suprabuddha (Sanskrit).

531 Yasodhara bringt den Sohn Rahula zur Welt. Anschließend verlässt Siddharta die wohlhabende Familie und wird Asket. Das Wort Askese entstammt dem Griechischen und bedeutet eigentlich "Übung". Im religiösen Kontext bezeichnet es zumeist eine enthaltsame Lebensweise, den Verzicht auf Luxusgüter.

530 - 526 Auf seiner Reise übt sich Siddharta Gautama in strenger Bedürfnislosigkeit und hungert sich beinahe zu Tode. Schließlich findet er einen mittleren Weg zwischen Askese und Konsum.

Die Erleuchtung des Buddha

525 In der Nähe der nordindischen Stadt Bodh-Gaya hat Siddharta ein Erleuchtungserlebnis. Er erkennt den ewigen Kreislauf des Seins und formuliert seine "Vier heiligen Wahrheiten": Alles Leben ist Leiden. Alles Leiden hat seine Ursache in der Begierde. Die Aufhebung der Begierde führt zum Aufheben des Leidens. Zum Erlöschen des Leidens führt der Achtfache Pfad. Ab nun nennt er sich Buddha. Es reift der Entschluss, seine Lehre zu verbreiten. Die erste Predigt hält er in einem Wildpark bei Isipatana, in der Nähe der Stadt Benares in Nordindien. Seine Zuhörerschaft besteht aus fünf Asketen, die sich nach seiner Rede zu einer Gemeinschaft buddhistischer Mönche zusammenschließen. Dies ist die Geburtsstunde der buddhistischen Religion.

524 – 479 In seinen Missionsreisen verbreitet Buddha seine Lehre in Indien. Die alte Religion des Hinduismus mit ihrem Kastenwesen lehnt er ab. Seine Anhängerschaft wächst, auch Frauen werden in die umherziehende buddhistische Gemeinschaft aufgenommen. Die Regenzeit verbringen sie

an einem festen Ort, der von wohlhabenden Bürgern zur Verfügung gestellt wird.

480 v. Chr. Der Prediger und Religionsstifter Siddharta Gautama Buddha stirbt achtzigjährig in Kusinara in der Nähe von Delhi. Wahrscheinlich hatte er sich durch verdorbene Lebensmittel geschwächt. Die Lebensspannen von Buddha und Konfuzius sind sehr ähnlich, trotzdem gibt es keine Überlieferung einer Begegnung.

Mit Jesus und Mohammed zählt Buddha zu den großen Religionsstiftern.

Alte Bücher im Austausch für alte Bronzen

Ein Gelehrter, der dringend Geld brauchte, fertigte ein Verzeichnis einiger hundert Bücher an, packte sie zusammen und machte sich auf den Weg nach der Hauptstadt, um sie dort zu verkaufen. Unterwegs traf er einen anderen Gelehrten, der seine Liste durchsah und die Bücher kaufen wollte.

Er hatte aber kein Geld, besaß dafür jedoch einige antike Bronzen, die er eigentlich für Reis einhandeln wollte. So nahm er den andern zu sich nach Haus und zeigte ihm seinen Besitz.

Der Gelehrte, der die Bücher verkaufen wollte, war ein großer Liebhaber alter Bronzen und geriet über diese seltenen Stücke in Entzücken.

"Wozu denn die Bronzen verkaufen," schlug er dem anderen vor, "wir können die Bücher gegen die Bronzen verrechnen und sie gegeneinander austauschen!"

So kam es, dass er seine Bücher dort ließ und mit den Bronzen beladen von dannen zog. Seine Frau wunderte sich über seine unerwartet frühe Rückkehr. Sie stellte fest, dass die Reisetasche ihres Mannes mit harten Gegenständen gefüllt war, die sich lose bewegten und dabei klirrten. Als sie nun den Bericht ihres Mannes hörte, begann sie zu schelten.

"Du Dummkopf!" rief sie. "Was nützen dir diese Bronzen, wenn wir keinen Reis im Hause haben?"

"Aber dem andern geht es doch ebenso," antwortete ihr Mann, "die Bücher, die er von mir erhalten hat, werden ihm auch lange keinen Reis einbringen."

Der Eisvogel

Der Eisvogel ist sehr furchtsam. Er baut sein Nest ganz hoch oben den Bäumen, um vor Gefahren geschützt zu sein.

Wenn die Jungen ausschlüpfen, hat er solche Angst, sie könnten hinunterfallen, dass er das Nest tiefer setzt. Wenn sich bei den Jungen die ersten Federn zeigen, wird er noch ängstlicher und baut sein neues Nest noch tiefer unten – so tief, dass sie nun jeder bequem fangen kann.

Der Mann, der seinen Irrtum nicht eingestehen wollte

Im Staate Chu lebte ein Mann, der nicht wusste, wo Ingwer wuchs. Er glaubte, er wüchse auf Bäumen. Jemand erzählte ihm, dass er in der Erde wachse. Das glaubte er ihm nicht und schlug vor: "Ich werde mit dir um meinen Esel wetten. Wir wollen zehn Männer fragen. Wenn alle der Meinung sind, dass Ingwer in der Erde wächst ist der Esel dein."

Sie fragten zehn andere, die alle bestätigten, dass er in der Erde wachse. "Nimm schon den Esel," sagte der Mann, "aber trotzdem weiß ich, dass Ingwer auf Bäumen wächst".

Der steinerne Affe

Weit, weit, im Gebirge der „Blumen und Früchte", welches noch nie von eines Menschen Fuß betreten wurde, lag einmal ein riesengroßes, steinernes Ei. Wer dieses Ei dorthin gebracht hatte und wie lang es dort gelegen sein mag, weiß kein Mensch zu sagen, denn niemand hat es je gesehen. Aber es lag dort hoch oben an der Sonne, und eines Tages krachte es, und ein steinerner Affe kroch daraus hervor. Es war der schönste Affe, den es jemals gegeben. Sein Körper aus glänzendem, poliertem Stein strahlte in der Sonne, und hochmütig blickte er auf die anderen Affen herab. Diese kamen in Scharen gelaufen und verneigten sich vor ihm und besprachen aufgeregt diesen sonderbaren Fall. Endlich erwählten sie ihn zu ihrem König, denn keiner war so geeignet, sie zu beherrschen, wie der steinerne Affe. Er nahm die Würde auch sofort an, denn er fühlte sich dazu berufen. Nachdem er König geworden, sprang der Affe den Berg hinunter, kam an das Meer und wollte nun auf der ganzen Erde umherreisen. Er sammelte dabei ungeheuer viele Kenntnisse und ging zuletzt zu einem großen Magier, um die verschiedensten Künste von ihm zu erlernen. Sein Wissen war unerreicht, und alle Affen der Erde beugten sich vor ihm und bewunderten ihn wie ein höheres Wesen. Er hatte nicht nur alle Gelehrsamkeit der Welt in sich aufgenommen, sondern vor seinen Zaubersprüchen öffneten sich die Berge; er drang in die Tiefe der Meere, sprang hinauf zum Himmel, und nichts konnte sich vor ihm verbergen. Doch seine

Hauptkunst war der große Luftsprung. Er konnte nämlich einen Sprung machen, mit dem er in einem einzigen Augenblick auf ungeheure Entfernungen verschwunden war, um im nächsten Augenblick vor seinen erstaunten Zuschauern wieder zu erscheinen. Durch die Bewunderung, welche die anderen Affen ihm zollten, wurde er aber selbstbewusst und übermütig.

Er wollte seine Macht immer mehr ausdehnen und stiftete damit manches Unheil. „Ich bin mächtiger als alle Geschöpfe der Erde", rief er aus. „Nun habe ich es satt, über euch Affen zu regieren. Ich will Herr des Himmels werden!"

Erschrocken blickten alle zu ihm auf, und der Drachenkönig sandte einen Boten zum Himmel mit der Bitte, Buddha möge sich der Erde erbarmen und den steinernen Affen nicht in den Himmel kommen lassen, denn dieser hatte durch seinen Übermut schon Unheil genug auf der Erde angerichtet. Doch ehe Buddha die Botschaft zu Ende hören konnte, sauste der steinerne Affe auch schon mit seinem Zaubersprung durch die Luft daher.

Der Herr des Himmels trat gelassen auf ihn zu und sprach: „Was willst du hier, Affe?"

„Ich will Herr des Himmels werden!" rief dieser. „Denn ich kann mehr als alle deine Geschöpfe. Dir selbst ist es nicht möglich, meine Künste nachzumachen und ich übertreffe dich in jeder körperlichen Geschicklichkeit. Kannst du, zum Beispiel, einen solchen Luftsprung machen wie ich und in einem Augenblick verschwinden? Versuch es einmal!"

Da lächelte Buddha belustigt und sagte ruhig: „Gut, wie wollen eine Wette eingehen. Wenn du aus meiner Hand, die ich unter dich halte, herausspringen kannst, so will ich dir meinen Platz einräumen und du sollst Herr des Himmels werden. Kannst du es aber nicht, dann verlasse den Himmel sofort und lasse dich nie mehr blicken."

Der Affe musste sich den Bauch halten vor lauter Lachen über diese leichte Wette und sprach kichernd: „Nun, so strecke doch deine Hand aus, Vater Buddha, und siehe selbst, was ich kann."

Und Buddha streckte seine Hand segnend nach der Erde aus. Der steinerne Affe sprang darauf, machte einen Purzelbaum und flog und flog durch den unendlichen Raum und immer weiter, bis er an das Ende der Welt kam. Dort standen fünf rote Säulen.

„Ha", rief der Affe triumphierend, „nun soll Buddha sehen, wer Herr des Himmels wird! Und zum Beweis, dass ich am Ende der Welt war, will ich ein Zeichen in eine dieser Säulen schneiden und es dem Herrn zeigen." Dann drehte er sich um, schwang sich durch die Lüfte und im nächsten Augenblick saß er wieder in Buddhas Hand. Da hörte er die Stimme des Herrn, welche mahnend sprach: „Nun, Affe, wann wirst du endlich aus meiner Hand herausspringen?"

„Was – aus deiner Hand?" schrie der Affe erbost.

„Weißt du nicht, dass ich durch die Lüfte sprang und am Ende der Welt war? Da stehen fünf Säulen, und es ist nur

gut, dass ich ein Zeichen hineinschnitt, um es dir zu bewei-
sen. Willst du sehen, wo ich war, so setze dich auf meinen
Rücken, und ich führe dich in einem Augenblick wieder hin."

Doch der Herr des Himmels entgegnete ernst:

„Affe, soll es dieses Zeichen sein, welches du in meinen Finger gemacht hast? Sieh es dir an und wisse, dass meine
Hand während deines ganzen Sprunges unter dir war. Wo
immer du hinspringst und wohin du dich wenden magst, es
ist dir unmöglich, von mir fortzukommen, denn die ganze
Erde liegt in meiner Hand. Nun kehre zurück und bleibe
fortan bescheiden auf dem Platz, den ich dir angewiesen
habe."

Darauf drehte er seine Hand um, und der Affe war in dem
steinernen Berg gefangen. Erst nach vielen Jahrhunderten
ließ ihn Buddha wieder heraus.

Der Traum

Es war einmal ein Gelehrter, der seine Studenten sehr streng hielt. Als einer von ihnen die Disziplin verletzte, beorderte er ihn zu sich und erwartete den Sünder mit strenger Miene. Endlich erschien dieser, kniete vor ihm nieder und sagte: "Ich hatte die beste Absicht, früher zu kommen. Aber ich hatte gerade tausend Goldstücke gefunden und habe so lange gebraucht, um zu überlegen, wie ich sie verwenden soll."

Des Gelehrten Miene hellte sich auf, als Gold erwähnt wurde. "Wo hast du es gefunden?" fragte er.

"Es war in der Erde vergraben."

"Und wie gedenkst du, es zu verwenden?" fragte der Gelehrte weiter.

"Ich bin ein armer Mann," antwortete der Student, "ich habe mich mit meiner Frau beraten, und wir sind zu folgendem Entschluss gekommen. Wir wollen für fünfhundert Goldstücke Land kaufen, zweihundert für ein Haus ausgeben, hundert für die Einrichtung und weitere hundert für Mägde und Bedienstete. Von den letzten hundert Goldstücken will ich die Hälfte für den Kauf von Büchern verwenden, denn von nun an muss ich fleißig studieren. Die andere Hälfte wollte ich Euch als kleines Geschenk anbieten, für die Mühe, die Ihr Euch mit mir gemacht habt."

"Ach! Wirklich? Ich glaube jedoch nicht, dass ich genug getan habe, um ein so kostbares Geschenk annehmen zu können," erwiderte der Gelehrte.

Bei diesen Worten befahl er seinem Koch, ein großartiges Mahl zuzubereiten, und bat den Studenten, daran teilzunehmen. Es ging sehr fröhlich zu, sie lachten und tranken einander zu. Als sie schon etwas angeheitert waren, fiel dem Gelehrten plötzlich ein: "Du bist in großer Eile von Zuhause fortgegangen? Hast du auch daran gedacht, das Gold vorher sicher in einer Lade zu verwahren?"

Der Student erhob sich.

"Meister, ich hatte gerade meine Berechnungen über die Verwendung des Goldes abgeschlossen, als meine Frau sich auf die andere Seite drehte und mich anstieß. Als ich meine Augen öffnete, war das Gold verschwunden. Was sollte mir also eine Lade nützen?"

"Dann war alles, was du mir erzähltest, nur ein Traum?" stieß der Gelehrte hervor. "In der Tat, so war es," antwortete der Student. Der Gelehrte war wütend, aber da er den Studenten so freigebig bewirtet hatte, wäre es nicht schicklich gewesen, ihm jetzt seinen Ärger zu zeigen. So überwand er sich und sprach: "Nun, ich sehe, du denkst sogar an mich, wenn du träumst. Sicherlich wirst du mich nicht vergessen, wenn du wieder einmal von Gold träumst!" Und er forderte den Studenten auf, noch etwas zu trinken, bevor er ihn gehen ließ.

Der Verdacht

Ein Mann hatte seine Axt verloren und glaubte, dass sie der Sohn seines Nachbarn gestohlen habe. Jedes Mal, wenn er den Jungen sah, schien es ihm, als ob er wirklich ein Dieb sei. Sein Gang, sein Gesichtsausdruck, seine Sprache und überhaupt alles an dem Jungen bezeugte, dass er die Axt gestohlen habe. Wenig später fand der Mann seine Axt wieder.

Als er am nächsten Morgen den Sohn des Nachbarn erneut traf, war es ihm, als ob der Junge in keiner Weise einem Dieb gleiche.

Die Geschichte vom Wolf der Zhongshan-Berge

Es lebte einmal ein Gelehrter namens Dongguo, der wegen seiner Gutherzigkeit überall bekannt war. Eines Tages war er auf seinem Esel unterwegs nach Zhongshan, als er von weitem eine Gruppe von Jägern sah. Plötzlich lief ein Wolf auf ihn zu, der in großer Bedrängnis war. "Barmherziger Meister," bat er, lass mich doch in deinen Mantelsack kriechen und mich dort verstecken! Sollte ich je diese Gefahr lebendig überstehen, werde ich dir deine Güte niemals vergessen."

Als er das hörte, nahm der gutherzige Meister seine Bücher aus dem Sack, ließ den Wolf hineinkriechen und stopfte seine Bücher wieder obenauf. Kurz darauf kamen die Jäger. Sie konnten den Wolf nirgends finden und zogen wieder ab. Als sie fort waren, bat der Wolf den Gelehrten Dongguo, ihn wieder herauszulassen, was dieser auch bereitwilligst tat.

Daraufhin aber zeigte der Wolf seine Zähne und sagte: "Schlechte Menschen stellten mir nach, und ich bin dir dankbar dafür, dass du mein Leben gerettet hast. Jetzt bin ich am verhungern und werde sterben, wenn ich keine Nahrung bekäme. Du musst gestatten, dass ich dich fresse, wenn du mich retten willst!"

Damit fiel er über den überraschten Gelehrten her. Dongguo wehrte sich verzweifelt. Da sah er zu seiner großen Erleichterung einen alten Mann herankommen. Einen kurzen Augenblick konnte er sich den Fängen des Wolfes entreißen; er rannte zudem Alten und bat ihn um Beistand. "Warum, was geht hier vor?" fragte der Alte.

"Die Jäger waren hinter dem Wolf her, und er bat mich um Hilfe," antwortete Dongguo. "Ich rettete sein Leben, und nun will er mich fressen. Bitte rede mit ihm und überzeuge ihn davon, dass er im Begriff ist, unrecht zu tun!"

"Als der Meister mich in den Sack steckte," entgegnete der Wolf, "band er meine Füße und stopfte noch Bücher hinterdrein. Ich rollte mich so fest zusammen, wie es nur ging, aber ich bekam keine Luft. Dann führte er eine lange Unterredung mit den Jägern, mit der Absicht, mich inzwischen im Sack ersticken zu lassen. Warum sollte ich ihn also nicht auffressen?"

"Ich glaube, du übertreibst", sagte der Alte, "zeige mir doch einmal, wie es wirklich war, damit ich mich überzeugen kann, dass du das alles tatsächlich erdulden musstest."

Der Wolf beeilte sich, den Beweis zu erbringen, und kroch wieder in den Sack. "Hast du einen Dolch?" flüsterte der Alte dem Gelehrten zu. Dongguo, zog ein Messer, worauf der Alte ihm Zeichen machte zuzustechen.

"Würde es ihm nicht weh tun?" zögerte der Gelehrte.

Der Alte lachte. "Das ist eine höchst undankbare Bestie, und trotzdem tut es dir leid, sie zu töten. Du bist wirklich ein sehr mitfühlender Mensch, aber auch sehr dumm!"

Dann half er Dongguo, den Wolf zu töten.

Eine Nadel aus einem Mörser machen

Ein Schuljunge hatte den Unterricht geschwänzt und ging auf der Straße spazieren, als er eine alte Frau dabei beobachtete, wie sie eine eiserne Mörserkeule auf einem großen Stein schliff. Neugierig fragte er, was sie denn mache. "Ich will aus dem Mörser eine Nadel schleifen, um Stoff damit zu nähen," antwortete die Alte.

Der Junge lachte: "Das ist doch ein so großer Mörser, wie könnt Ihr nur hoffen, ihn soweit herunter zuschleifen, dass eine Nadel daraus wird?"

"Das macht nichts," entgegnete sie, "heute schleife ich, morgen werde ich wieder schleifen und übermorgen auch. Mit jedem Tag wird der Mörser kleiner werden, und eines Tages wird er eine Nadel sein."

Das Kind erkannte die tiefere Wahrheit und ging zur Schule.

Vom Frosch und die Larve der Cicade (Käfer)

Ein Frosch hatte mit der Larve einer Cicade Freundschaft geschlossen. Als aber der Sommer kam und es heiß wurde, warf die Larve ihre hässliche Hülle ab, verwandelte sich in eine Cicade und kroch hinauf in den Wipfel eines Baumes, wo selbst sie unter munterem Flügel schlage ihren schrillen Gesang ertönen ließ. Da fiel es plötzlich dem Frosch ein, er wolle doch seine Freundin einmal besuchen. Als er aber zur Wohnung der Larve gelangte, fand er sie nicht zu Hause. Er suchte sie wohl einen halben Tag lang, konnte sie aber nirgends finden, bis er sich endlich an der Wurzel eines Baumes niedersetzte, um sich an der frischen Kühle zu laben. Da plötzlich, als er seine Blicke in die Höhe richtete, sah er die Cicade, wie sie auf einem Baumzweig saß und ihren melodischen Gesang erschallen ließ.

Da rief er ihr zu: „Werte Freundin! Komm doch herab zu mir dich auszuruhen und mit mir zu plaudern!"

Die Cicade aber kroch immer höher und kümmerte sich nicht um ihn. Da rief der Frosch zornig: „Ha! jetzt, wo du ein Gewand aus weißer Gaze angelegt hast, bist du stolz geworden und blickst auf deinen alten Freund hochmütig herab."

Von der Übereinstimmung der vier geistigen Brüder

Einst wohnten der Vogel Rebhuhn, der Hase, der Affe und der Elefant zu viert in einem Walde. Jeder von ihnen war überzeugt, der Älteste zu sein, dem die anderen Ehrfurcht schulden.

Deshalb trachteten sie durch Gedankenaustausch genau herauszufinden, wer wirklich der Älteste unter ihnen sei.

Lasst es uns am mächtigen Stamme eines Pipalbaumes bestimmen", sagte der Elefant.

"ich entsinne mich, dass mein Körper einst gleich hoch gewesen ist wie die noch junge Krone dieses Baumes."

Der Affe sagte: "Zu der Zeit, als dieser Baum noch klein gewesen ist, war selbst mein Körper gleich hoch."

Der Hase sagte: "Selbst ich schlürfte noch die Tautropfen, die ich so gerne habe, von dem Sprössling dieses Baumes, als er nur fünf Finger hoch gewesen ist."

Der Vogel Rebhuhn sagte: "Dieser Sprössling konnte jedoch nur deshalb wachsen, weil ich selbst – von oben – den Samen dieses Baumes auf die Erde gestreut habe."

Daraufhin musste der große Elefant einsehen, dass er jünger sei als die anderen. Danach sahen auch der Affe und der Hase ein, dass der Vogel Rebhuhn der Älteste unter ihnen ist und dass es dem richtigen Verhalten entspräche, dass die

Jüngeren dem Älteren Ehrfurcht bezeugen, wie dies von Natur aus den Dingen innewohnt. Nur dadurch wirken die von den beseelten Wesen vollbrachten guten Taten wie das befruchtende Regenwasser auf die Scholle. Dadurch wird auf der Erde die Ernte zunehmen, das Glück gedeihen und Gnade, Ruhm und Reichtum blühen.

Zu jener Zeit sagte ein alter Weiser und Seher: "Eben deshalb erläuterten der Elefant, der Affe, der Hase und der Vogel im Walde das Gebot und seine Früchte, wonach die Jüngeren den Älteren Ehrfurcht schulden."

Willst du ehrerbietig sein?

Ein armer Mann hatte sich immer geweigert, einem Reichen Ehrerbietung zu bezeigen.

Der reiche Mann fragte ihn eines Tages: "Ich bin reich, und du bist arm, warum bist du nicht ehrerbietig zu mir?"

"Ihr habt viel Geld," sagte dieser, "und gebt mir nicht das geringste davon ab.

Warum sollte ich zu Euch ehrerbietig sein?"

"Gut, ich will dir den fünften Teil meines Geldes geben. Wirst du dann ehrerbietig sein?"

"Das wäre nicht recht geteilt, wie könnte ich da ehrerbietig zu Euch sein?"

"Nun, nehmen wir an, ich gebe dir die Hälfte."

"Dann wären wir gleich, warum sollte ich dann ehrerbietig sein?"

"Und wenn ich dir mein ganzes Geld gebe, dann wirst du doch bestimmt ehrerbietig sein!"

"Hätte ich das ganze Geld, so hätte ich es nicht nötig, Euch Ehrerbietung zu bezeigen."

Taoismus

Der Daoismus (Pinyin dàojiā ‚Lehre des Weges'), gemäß anderen Umschriften auch Taoismus, ist eine chinesische Philosophie und Weltanschauung und wird als Chinas eigene und authentische Religion angesehen.

-Info von Wikipedia-

Das Leben ist kurz – giac hoang luong

Es war Abend. Ein junger Mann kam in eine Herberge hinein, die Kleidung durchnässt und aufgelöst. Er bestellte eine Hirse-Suppe. Ein taoistischer Meister saß am Nebentisch. Er stand auf und setzte sich zu dem jungen Mann. Der Meister fragte den Jungen, was ihn so traurig machte.

Mit ganz müder Stimme antwortete der junge Mann: "Ich habe zum dritten Mal meine Prüfung zur Verwaltungslaufbahn nicht bestanden. Mein Leben ist eine Anhäufung von Misserfolgen. Als junger Mann bin ich verpflichtet, etwas im Leben zu vollbringen. Ich bin weder bekannt noch reich. Ich bin ein Nichts."

Der Meister hörte sich alles an und sagte ganz sanft: "Der Weg ist lang, ruhen Sie sich ein bisschen aus, bevor Sie etwas essen."

Beim vierten Mal bestand Lu - so hieß der junge Mann - die Aufnahmeprüfung zur Verwaltungslaufbahn mit Auszeichnung. Er wurde hoher Mandarin nach nur einigen Jahren. Er wurde Gouverneur der Provinz Nam Kha, dann Berater des Königs. Voll Bewunderung für Lus Fähigkeiten gab ihm der König eine seiner Töchter zur Gemahlin. So erreichte Lu alles, was ein normaler Sterblicher in der Gesellschaft erreichen konnte. Ein Krieg brach aus. Lu wurde zum Oberbefehlshaber der gesamten Armeen des Landes. Er führte sie von Sieg zu Sieg. Da er weit von der Hauptstadt entfernt weilte, nutzten einige der Hofbeamten die Gelegenheit, ihn beim König zu verleumden. Der König glaubte ihnen schließlich. Lu fiel in Ungnade und musste alle seine Ämter abgeben. Nicht nur er litt darunter, sondern auch seine gesamte Verwandtschaft: Geschwister und ihre Familien, Onkel und Tante nebst Angehörigen, selbst Bewohner seines Heimatortes. Er lebte zehn lange Jahre in Elend. Alle mieden ihn und seine Verwandten. Der König bedauerte eines Tages seine Entscheidung und rief ihn zurück. Lu wurde erster Minister. Als der König starb, verhaftete sein Nachfolger Lu. Lu lag nun im Sterben in einem Kerker. Ganz langsam siechte sein Leben dahin. Gedanken ließen ihn nicht los. War dies das menschliche Leben? Warum hatte er den Eindruck, dass er versagt hatte, obwohl er alles erreicht, allerdings auch wieder verloren hatte? Sind Menschen verdammt, so zu sterben wie ein Hund? fragte sich Lu voll Bitterkeit. In dem Moment öffnete Lu die Augen. Er wachte auf. Der Meister saß vor ihm und lächelte ihn an, voll Mitgefühl. Die Hirsesuppe, die er bestellt hatte, war noch nicht serviert.

Es ist so: Das Leben ist vergänglich. Das Streben nach materiellen Dingen ist belanglos. Keine Trester für das Schwein Dreißig Li westlich von meiner Präfektur liegt im Schutz des Berges Hefu ein Tempel, der einer Großmutter Wang gewidmet ist. Niemand weiß, wann diese alte Dame gelebt hat. Man erzählt sich, dass sie einen Weinverkauf betrieb und ein Daoist oft zu ihr kam, der ihren Wein trank, ohne dafür zu bezahlen. Aber der alten Frau schien das nichts auszumachen.

Eines Tages sagte der Daoist zu ihr: "Ich habe niemals für den Wein bezahlt, den ich bei dir getrunken habe, ich werde dir dafür jetzt einen Brunnen graben."

Er grub den Brunnen, und es zeigte sich, dass dieser einen vorzüglichen Wein hergab.

"Das ist meine Bezahlung," sagte der Daoist und verschwand.

Die alte Frau kelterte nun nicht mehr länger ihren Wein selbst, sondern verkaufte ihren Kunden den Wein aus dem Brunnen; er schmeckte ihnen besser als irgendein Wein, den sie bisher getrunken hatten. Die Trinklustigen drängten sich in ihrer kleinen Schenke, und innerhalb von drei Jahren war sie reich geworden. Da erschien eines Tages der Daoist wieder bei ihr.

"Nun, ist der Wein gut?" fragte er. "Sehr gut," antwortete die alte Dame, "nur leider bleiben dabei keine Trester für das Schwein."

Der Priester lachte und schrieb den folgenden Spruch an die Wand: Der Himmel ist unendlich hoch, der Menschen Verlangen weit höher noch. Brunnenwasser verkauft sie als Wein und klagt noch, es fehlt an der Mast für das Schwein.

Dann ging der Taoist davon, und von dieser Stunde an gab der Brunnen keinen Wein mehr.

Hinduistisch

Der Hinduismus ist mit rund einer Milliarde Anhängern und etwa 15 % der Weltbevölkerung nach dem Christentum (rund 31 %) und dem Islam (rund 23 %) die drittgrößte

Religion der Erde. Seinen Ursprung hat er in Indien. Anhänger dieser Religion werden Hindus genannt. Die meisten Gläubigen gehen davon aus, dass Leben und Tod ein sich ständig wiederholender Kreislauf (Samsara) sind, glauben an eine Reinkarnation.

Der Hinduismus vereint grundsätzlich verschiedene Religionen, die sich teilweise mit gemeinsamen Traditionen überlagern und gegenseitig beeinflussen, in heiligen Schriften, Glaubenslehren, der Götterwelt und Ritualen aber Unterschiede aufweisen.

Der Hinduismus hat keinen Gründer wie Jesus von Nazareth oder Muhammad. Sie ist vielmehr ein Glaube, der aus unzähligen Traditionen und Überlieferungen besteht. Strenge Vorgaben darüber, was und wie ein Hindu zu glauben hat, gibt es im Hinduismus nicht. Keine andere Religion ist so vielfältig, bunt und scheinbar widersprüchlich wie der Hinduismus. Die Zahl der Götter und Dämonen scheint unendlich, weil beinahe alles - angefangen bei den Tieren - zu Göttern gemacht wird. Über allen Göttern steht jedoch nur einziges höheres Wesen: das Göttliche, das alles Umfassende, aus dem alles hervorgeht – das Brahman.

An welchen Gott oder welche Götter der einzelne Mensch glaubt, spielt im Hinduismus keine Rolle. Der Glaube der

Hindus beeindruckt durch sein Verständnis für die unterschiedlichen Wege zum Göttlichen. Das Ziel dieses Weges ist jedoch für alle Hindus gleich: die Befreiung und Erlösung aus dem Kreislauf von Geburt, Tod und Wiedergeburt.

Die Hindus sind davon überzeugt, dass die Seele eines Menschen ewig ist. Sie wird nach den Gesetzen des Karmas mehrfach wiedergeboren, mit dem Ziel im Göttlichen aufzugehen. Karma bedeutet, dass alle Taten aus dem früheren Leben Auswirkungen auf das jetzige Leben haben. Alle Taten im jetzigen Leben wirken sich auf das zukünftige aus. Um im nächsten Leben ein glücklicherer Mensch zu sein, muss ein Hindu im jetzigen Leben nicht nur gut leben, sondern vor allem gut handeln. Das heißt, dass er tagtäglich seine Pflichten gegenüber der Familie, der Gesellschaft und dem Göttlichen erfüllen muss.

-Info von Wikipedia-

Das Kamel und die Ratte

Ein Kamel, das seinem Herrn entlaufen war, wanderte auf einsamen Pfaden und schleppte die Nasenleine auf der Erde nach. Wie es nun langsam dahinging, hob eine Ratte das Ende der Leine auf, nahm es ins Maul und lief dem riesigen Tier voraus, indem sie unaufhörlich dabei dachte: „Was muss ich doch für Kraft besitzen, dass ich ein Kamel führen kann!" Nach kurzer Zeit kamen sie an das Ufer eines Flusses, der den Weg kreuzte, und hier machte die Ratte Halt. Das Kamel sprach: „Bitte, geh doch weiter!"

„Nein", sagte seine Begleiterin, „das Wasser ist zu tief für mich."

„Nun wohl", erwiderte das Kamel, „lass mich die Tiefe an deiner Stelle versuchen."

Als das Kamel in der Mitte des Stromes angekommen war, blieb es stehen, drehte sich um und rief. „Siehst du, ich hatte recht, das Wasser ist nur knietief, also komm nur hinein!"

„Ja", sagte die Ratte, „aber es ist doch ein kleiner Unterschied zwischen deinen Knien und den meinigen, wie du siehst. Bitte, trage mich hinüber!"

„Gestehe deinen Fehler", erwiderte das Kamel, „sieh ein, dass du hochmütig gewesen bist, und versprich, in Zukunft bescheiden zu sein, dann will ich dich sicher hinüberbringen."

Der Affe als Richter

Früher, als fast noch alle Tiere frei herumliefen und erst wenige von ihnen bei den Menschen wohnten, lebten im Haus eines Gelehrten ein Hund und eine Katze. Eines Tages hatte der Gelehrte einen frisch gebackenen Kuchen geschenkt bekommen. Da er für ein paar Stunden das Haus verlassen musste, stellte er ihn zur Sicherheit auf ein Brett, das an der Wand hing. Die Katze hatte den Gelehrten aufmerksam beobachtet, und kaum war dieser zur Tür hinaus, sprang sie auf den Korbsessel, der am Fenster stand, von dort auf den Tisch, und von dort wagte sie den weiten Sprung auf das Brett. Der Nagel, der das Brett mit einem Bambusgeflecht nur notdürftig verband, war diesem Ansturm nicht gewachsen. Polternd stürzte das Brett mit dem Kuchen und der Katze zu Boden. Der Hund hatte sich schläfrig in der Sonne ausgestreckt und auf die Rückkehr seines Herrn gewartet. Bei dem plötzlichen Getöse fuhr er erschreckt auf und sauste in das Zimmer. Als er den wohlduftenden Kuchen in den Fängen der Katze sah, sprang er auf sie zu und wollte ihn ihr entreißen. Die Katze wehrte sich fauchend und verpasste ihrem Hausgenossen einen kräftigen Schlag auf die Nase. Der Hund jaulte auf. Ein Affe turnte gerade über die Gartenmauer und blickte neugierig zum Fenster hinein.

„Warum streitet ihr zwei euch bei einem so herrlichen Wetter?" fragte er belustigt. Der Hund bellte wütend:

„Diese nichtsnutzige diebische Katze hat unserem Herrn seinen Kuchen stibitzt!"

„Was geht dich das an?" maunzte die Katze böse. „Während du faul in der Sonne gedöst hast, habe ich mich sehr geplagt. Ich habe mir den Kuchen mühsam verdient!"

„Unverschämtes, eigennütziges Biest", knurrte der Hund, „glaubst du, du kannst den Kuchen allein essen? Er gehört unserem Herrn, ich habe also auch ein Anrecht darauf."

„Hört auf zu streiten!" sagte der Affe. „Ist der Kuchen nicht groß genug für euch beide? Ich sehe dort auf dem Tisch eine Waage stehen. Ich werde euch die Beute in zwei gleiche Stücke teilen."

Die Katze und der Hund waren damit einverstanden. Aufgeregt verfolgten sie, wie der Affe den Kuchen durchbrach und die eine Hälfte auf die eine, die zweite Hälfte auf die andere Waagschale legte. Die eine Waagschale plumpste hinunter.

„Das Stück ist wohl etwas zu schwer", meinte der Affe mit ernsthafter Miene, bröckelte ein paar Krumen davon ab und steckte sie genüsslich in den Mund. Hund und Katze sahen erwartungsvoll zu, wie sich die Schale langsam wieder hob.

„Jetzt ist es gut!" rief der Hund. „Nein!" sagte der Affe streng. „Das Kuchenstück ist noch etwas zu schwer. Man soll mir nicht nachsagen, dass ich ein ungerechter Richter bin." Mit diesen Worten brach er noch ein kleines Stück von dem Kuchen ab, und ließ es in seinen Mund wandern. Aber er hatte zu viel genommen, denn jetzt sank die andere Waagschale hinunter. Der Affe murmelte ein paar unverständliche Worte und begann von dem zweiten Stück Krümel für Krümel abzubrechen und behaglich in den Mund zu schieben, bis die beiden Waagschalen sich nach und nach wieder näherten. Im letzten Augenblick nahm er nochmals zu viel von dem größeren Kuchenstück, so dass dieses jetzt kleiner wurde als das andere und die Waagschale sich hob. Er musste seine Arbeit von neuem beginnen. Dieser Vorgang wiederholte sich so lange, bis eine Waagschale schließlich ganz leer war und auf der anderen nur noch ein Stückchen lag. Da wurde er böse und schimpfte mit dem Hund und der Katze: „Wegen solch einer lächerlichen Kleinigkeit zankt ihr euch und bemüht mich als Schiedsrichter? Ihr sollt euch schämen! Damit nun endgültig Frieden herrscht, esse ich das Kuchenstückchen selber auf."

Er steckte auch noch den letzten Happen in seinen Mund und schwang sich aus dem Fenster. Der Hund und die Katze sahen ihm verdutzt nach. „Das hast du nun davon!" fauchte die Katze. „Warum bist du auch so geizig gewesen", knurrte der Hund und trottete zurück an seinen Sonnenplatz. „Man kann sich auf niemanden mehr verlassen", brummte er und schlief wieder ein.

Der blaue Schakal

In einer gewissen Waldgegend lebte ein Schakal namens Tschandárava. Dieser begab sich einmal, vom Hunger und von der Gier seiner Zunge getrieben, mitten in eine Stadt hinein. Als ihn aber die Hunde gewahrten, umzingelten sie ihn bellend von allen Seiten und fingen an, ihn mit ihren scharfen Zähnen zu beißen. Da lief er, für sein Leben fürchtend, in das nahe Haus eines Färbers. Dort stand ein großes Fass voll Indigolösung, und in dieses fiel er, von den Hunden verfolgt, hinein. Als er wieder herauskroch, war er blau gefärbt. Die Hunde hielten ihn nun nicht mehr für einen Schakal, und jeder lief weg, wohin ihm beliebte. Auch Tschandárava begab sich nach einer entfernten Gegend und machte sich auf nach einem Walde. Die blaue Farbe aber wich nie von seiner natürlichen. Sagt man doch: Was Mörtel, Weiber, Indigo, ein Krebs und ein Betrunkener fassen, desgleichen Fische und ein Tor, davon sie nimmer wieder lassen. Als nun dieses bisher nie gesehene Geschöpf, das wie ein dem Gift am Halse Sivas vergleichbarer Tamálabaum aussah, die Tiere des Waldes, die Löwen, Tiger, Leoparden, Wölfe und die übrigen sahen, da liefen sie, außer sich vor Furcht, fliehend nach allen Seiten hin und sagten: „Man kennt sein Wesen und seine Tapferkeit nicht. So lasst uns denn eilig davonlaufen. Es heißt ja: „Ein Kluger ist, wenn Wohlergehen er wünscht, vor dem auf seiner Hut, den er nach seinem Treiben noch nicht kennt, auch nicht nach Stamm und Mut."

Als Tschandárava sah, dass sie vor Furcht außer sich waren, sprach er zu ihnen: "He, he, ihr Tiere, warum lauft ihr denn bei meinem Anblick erschrocken davon? Habt keine Furcht. Ich bin von Brahma selbst heute erschaffen worden, und er hat zu mir gesagt:

"Weil die Tiere jetzt keinen König haben, so setze ich dich heute feierlich zum Herrscher über sie alle ein. Darum geh und beschütze sie alle. So bin ich denn hierhergekommen, und deshalb sollen alle Tiere im Schatten meines Sonnenschirmes wohnen. Ich, Kakuddruma mit Namen, bin der König der Dreiwelt geworden."

Nach diesen Worten umringten ihn alle Tiere, Löwe und Tiger an ihrer Spitze, und sprachen: "Herr, Gebieter, befiehl uns!"

Er übertrug nun dem Löwen das Ministeramt; der Tiger wurde Hüter seines Ruhelagers; der Leopard musste ihm den Betel darreichen, der Wolf sein Tor bewachen. Mit den Schakalen aber, zu deren Geschlecht er gehörte, redete er auch nicht einmal, sondern sie wurden alle aus seiner Nähe gewiesen. Während er in dieser Weise die Herrschaft führte, wurde von dem Löwen und von anderem Wild getötet und vor ihn gelegt, und er verteilte es nach Herrscherrecht unter sie alle und gab ihnen ihren Anteil. So verging die Zeit. Einst geschah es nun, dass er in der Ferne Schakale heulen hörte. Darüber freute er sich so, dass ihm am Leibe die Härchen starrten und seine Augen sich mit Tränen füllten, und er fing an, laut mit zu heulen.

Als aber der Löwe und die anderen Tiere diesen lauten Ton hörten, dachten sie: „Das ist ein Schakal", blickten einen Augenblick vor Scham zu Boden und sprachen: „Oh, wir haben uns von ihm anführen lassen! Ein erbärmlicher Schakal ist er. Darum muss er sterben!"

Er wollte fliehen, als er dies vernahm; aber er wurde gleich an Ort und Stelle von dem Löwen und anderen Tieren in Stücke zerrissen und starb.

Wer von den seinen sich entfernt und Fremde zu den seinen macht, gleichwie Kakuddruma einst, der König, wird er umgebracht.

Islam

Der Islam ist eine monotheistische Religion, die im frühen 7. Jahrhundert n. Chr. in Arabien durch Mohammed gestiftet wurde. Mit über 1,8 Milliarden Anhängern ist der Islam nach dem Christentum (ca. 2,2 Milliarden Anhänger) heute die zweitgrößte Weltreligion.

Der Islam wird allgemein auch als abrahamitische, als prophetische Offenbarungsreligion und als Buch- oder Schriftreligion gekennzeichnet.

-Info von Wikipedia-

Prophet Mohammed

geboren zwischen 570 u. 573 in Mekka,

gestorben am 8. Juni 632 in Medina),

Mohammed, mit vollem Namen Abū l-Qāsim Muhammad ibn ʿAbd Allāh ibn ʿAbd al-Muttalib ibn Hāschim ibn ʿAbd Manāf al-Quraschī ist der Religionsstifter des Islam. Er gilt im Islam als Prophet und Gesandter Gottes.

-Info von Wikipedia-

Die Geschichte vom Propheten Mohammad

Der Prophet Mohammad wurde um das Jahr 570 n. Chr. in Mekka geboren. Sein Vater Abdullah, ein Kaufmann, starb vor seiner Geburt. Zu jener Zeit war es bei den reichen Familien Mekkas üblich, die Säuglinge zu Milchmüttern aufs Land in Pflege zu geben, weil das heiße Klima in Mekka der Gesundheit der Kleinen nicht zuträglich war. Dieser Sitte entsprechend wurde auch der kleine Mohammad zu einer Milchmutter (Amme) namens Halimah gegeben. Als er 6 Jahre alt war, verstarb auch Mohammads Mutter Amina.

So nahm ihn Abd al-Muttalibs, Mohammads Großvater, auf. Nach dessen Tod kümmerte sich Mohammads Onkel, Abu Talib, um Mohammad. Später wurde er Karawanenführer und heiratete Chadidscha. Zu dieser Zeit war Mohammad etwa 25 Jahre alt. Wegen seines guten Charakters nannten ihn die Leute Mohammad al-Amin, das bedeutet Mohammad, der Vertrauenswürdige.

Er stieg öfter in einer Berghöhle Namens Hira, um dort in der Einsamkeit über Allah nachzudenken und zu ihm zu beten. Er war ungefähr vierzig Jahre alt als er im Monat Ramadan wieder einmal Berghöhle Hira aufstieg, da schickte ihm Allah den Engel Gibrail. Gibrail begrüßte Mohammad und sagte: "Ich bin der Engel Gibrail, Allah hat mich zu dir geschickt. Denn von nun an bist du Allahs Gesandte." Unser Prophet Mohammad (Friede sei mit ihm) erzählte das zuerst seine Frau und sie akzeptierte alles und wurde die erste

Muslimin. Nach ihr nahm Ali sein Cousin (der Sohn von Abu-talib) und später Aboubakr, Zayd, Abouzar, Salman Farsi, Ammar, Yasir, ...den Islam an.

Als die Feinde des Islams Prophet Mohammed umbringen wollten, mit Allahs Erlaubnis verließ er der Stadt Mekka. Unterwegs nach Medina versteckte er sich vor ihren Verfolgern in einer Höhle Namens Thawr. Allah befahl eine Spinne ein Netz am Eingang der Höhle zu bauen. Die Feinde sahen die Spinne auf dem Netz und dachten, dass niemand in dieser Höhle sein könnte. Somit hat Allah das Leben unser Prophet gerettet. Allah hilft immer die ihn lieben und ehrlich dienen. Diese Auswanderung von Mekka nach Medina nennen wir Higrah und mit der begann die islamische Zeitrechnung. (Derzeit ist Jahr 1429)

Der Prophet Mohammad hat die Kinder sehr geliebt. Seine jüngste Tochter Fatima heiratete später Ali und aus dieser Ehe bekamen sie 4 Kinder: Zaynab, Umme-Kulthum, Hasan, Husayn. Er hatte seine Enkelkinder immer bei sich und spielte mit ihnen. Er mochte die Faulheit nicht. Er arbeitete viel und liebte die Fleißigen. Unser Prophet liebte das Lesen und Lernen. Er ist unser Vorbild. In seinem dreiundsechzigsten Lebensjahr starb unser Prophet Mohammad in Medina, wo auch heute noch sein Grab liegt. Er hat für uns wichtige Erbe hinter gelassen: Das heilige Buch Quran (Koran) und Islam. Friede sei mit ihm und seine geliebte Familie und seine treuen Anhänger.

Die Geschichte vom Elefantenheer

Vor langer Zeit, lebte in Yemen ein König, ein stolzer und ehrgeiziger Mann. Sein Name war Abraha. Er ärgerte sich darüber, dass so viele Menschen jedes Jahr nach Mekka reisten, nie aber nach Yemen.

Eines Tages dachte er bei sich: "Die reisen nach Mekka, um die Kaaba zu besuchen. Ich will ein viel größeres und schöneres Gebetshaus bauen. Alle Menschen der Welt sollen dahin kommen und wissen, dass Abraha der mächtige König ist." Er ließ Marmor und wertvolle Hölzer aus aller Welt zusammentragen und baute einen prächtigen Tempel. überall ließ er dann verkünden, dass sich in seinem Land das größte und schönste Gebäude der Welt befände.

Aber die Menschen reisten weiterhin nach Mekka, wo sie die Kaaba besuchten, ihre Waren verkauften und sich auf dem Jahrmarkt und bei dem Dichterwettstreit vergnügten. Denn wenn auch in der Kaaba längst unzählige Götzenbilder standen, so war die Reise nach Mekka und das Andenken an Ibrahim und Ismail (Friede sei mit ihnen) doch eine Tradition, die man nicht aus dem Volksleben wegdenken konnte.

König Abraha wurde neidisch und eifersüchtig. Er beschloss, die Stadt Mekka zu erobern und die Kaaba zu vernichten, damit die Menschen dadurch gezwungen würden, seinen prächtigen Tempel zu besuchen. Darum suchte er die größten und stärksten Männer als Soldaten aus und gab ihnen die besten Waffen und sie sollten auf Elefanten reiten. Ein solches Elefantenheer galt in der damaligen Zeit als unbesiegbar. Als die Menschen in Mekka vom Herannahen des Heeres hörten, wussten sie nicht, wie sie sich dagegen wehren und die Stadt verteidigen sollten. Aber Allah wollte nicht, dass das älteste Gebetshaus der Menschheit zerstört wird. Er wollte durch ein Wunder die Kaaba vor den Angriff bewahren, denn er ist der beste Beschützer.

König Abrahas Truppen hatten inzwischen fast schon die Stadtgrenze erreicht und waren sich ihres Sieges sicher. Da schickte Allah einen Schwarm Vögel aus, die in ihren Krallen und Schnäbeln Steine trugen. Als sie über Abrahas Heer hinwegflogen, ließen sie die Steine einfach hinabfallen. Die Elefanten wurden dadurch erschreckt und liefen in wilder Flucht davon. Im gleichen Jahr wurde in Mekka Allahs letzter Gesandter, unser Prophet Muhammad (Friede sei mit ihm) geboren.

Zamzam

Der Prophet Ibrahim (Friede sei mit ihm) wurde alt, aber er hatte keine Kinder, obwohl er sich sehr Kinder wünschte und Allah versprochen hatte, Ibrahim zum Stammvater eines großen Volkes zu machen. Mit Gottes Erlaubnis heiratete er Hagar und nach einiger Zeit wurde ein Sohn geboren, den sie Ismail nannten. Zu dieser Zeit befand sich Ibrahim mit seiner Familie auf der Reise nach Süden. Dort, wo heute Mekka liegt, hatte der Prophet Adam (Friede sei mit ihm) einst Hawwa wieder getroffen. Er hatte die Offenbarung erhalten und das erste Gebetshaus für die Menschen gebaut. Nun aber gab es dort nichts als kahle, wasserlose Wüste.

Dennoch befahl Allah Ibrahim (Friede sei mit ihm), seine Frau Hagar und seinen kleinen Sohn Ismail an dieser Stelle zurückzulassen. Ibrahim hatte Vertrauen auf Allah und wusste genau, dass Allah für die beiden sorgen würde. Er betete zu Allah: „Mein Herr, mache aus diesem Platz einen Ort der Sicherheit, und gib seinen Bewohnern Nahrung und Früchte, soweit sie an Dich und den Tag der Auferstehung glauben." Dann zog Ibrahim weiter. Da saßen Mutter und Kind mitten in der Wüste, ohne einen Baum oder Strauch in der Nähe, wo sie Schatten hätten finden können. Nicht einmal einen Brunnen gab es dort. Unbarmherzig brannte die Sonne vom wolkenlosen Himmel herab, und schon fing der kleine Ismail an, vor Durst zu weinen. Die Mutter lief verzweifelt zwischen den Hügeln (Safa und Marwa) hin und her, um zu sehen, ob sie nicht irgendwo eine Spur von Wasser entdecken könnte. Hagar betete zu Allah: „Oh Allah, hilf uns, denn wir haben nur Dich und zu Dir rufen wir um Hilfe."

Da erschien ein Engel und sprach zu ihr: „Hab keine Angst! Allah hat schon für dich und dein Kind gesorgt." Und tatsächlich, wo der kleine Ismail lag, sprudelte plötzlich eine Quelle aus dem Boden hervor, so dass die beiden davon trinken konnten. Diese Quelle gibt es bis heute, es ist der Brunnen Zamzam. Bis heute laufen die Pilger siebenmal zwischen den Hügeln Safa und Marwa hin und her und denken dabei an Ismail und seine Mutter, Hagar, und später trinken sie Wasser aus dem Brunnen Zamzam. Allah lässt die Menschen, die auf ihn vertrauen niemals im Stich und zeigt seine Barmherzigkeit auf schönste Art und Weise.

Elfen und Kobolde

Elfen (auch Albe, Elben) ist eine Bezeichnung für eine sehr heterogene Gruppe von Fabelwesen in Mythologie und Literatur.

Elfen sind Naturgeister, die ursprünglich aus der nordischen Mythologie stammen. Kobold ist ein Begriff für Haus- und Naturgeister.

-Info von Wikipedia-

Die Geschichte vom „Pot O' Gold"

Es war einmal ein altes Ehepaar. Es war sehr arm und hatte zu wenig zu essen. Eines Tages war der Mann im Dorf, um Arbeit zu suchen, während die Frau im Garten Gemüse ern-tete. Als sie im Begriff war, eine Karotte aus dem Beet zu ziehen, ertönte eine zarte Stimme und schrie: „Was machst du da?"

Die Frau stutzte und fragte: „Wer spricht da?"

„Schau herunter! Ich bin ein Kobold." Als sie hinuntersah, stand dort ein Männchen und klopfte sich den Schmutz von seiner Kleidung. Er stand auf und begab sich geradewegs in das Haus des Ehepaares, und die Frau folgte ihm. Auf ihrem bescheidenen Holztisch Platz nehmend erklärte der Kobold, warum er gekommen war.

„Weißt du, ich bin hier, um dir und deinem Mann einen Wunsch zu erfüllen. Denkt genau darüber nach - ich komme morgen zurück!"

Mit diesem Satz verschwand er. Das Ehepaar beriet sich die ganze Nacht, ohne zu einer Entscheidung zu kommen - gab es doch so viele Dinge, an denen es ihnen fehlte. Sie waren sehr erschöpft, als sie am nächsten Morgen das Stimmchen des Kobolds hörten. „Ich bin hier, um jetzt euren Wunsch zu erfüllen!"

Das Ehepaar lief aufgeregt auf und ab. „Geld!", sagte die Frau plötzlich, „Reichtümer, Gold und Silber..." „Werkzeug, ein vernünftiges Haus, eine Arbeit...", erwiderte der Mann. „Ihr seid selbstsüchtig!", schimpfte der Kobold und plötzlich und es wurde still.

„Deswegen werde ich euch keinen Wunsch erfüllen. Aber da ihr in Not seid, gebe ich euch einen Tipp. Ich habe einen Topf voll Gold am Ende des Regenbogens versteckt - ihr braucht ihn nur zu holen."

 Sofort drängte der Mann seine Frau: „Los, wir müssen gehen!"

Sie nickte, und das Ehepaar machte sich eilig auf den Weg. Sie suchen noch immer nach dem „Pot O' Gold", der der Legende nach am Ende des Regenbogens versteckt sein sollte.

Die Geschichte von St.Collen und Gwynn ap Nudd

Einladungen, einen Geisterhügel zu besuchen, soll man nur mit größter Vorsicht annehmen und man darf sich auf keinen Fall überreden lassen, etwas zu essen oder zu trinken. Wer das tut, ist unweigerlich verloren. Diese und viele andere Eigentümlichkeiten zeigen die nahe Verwandtschaft der Hades- und Unterweltmythologie mit den Legenden über die unterirdischen Geister. Was immer ein Lebender annimmt und sei es auch nur ein Granatapfelkern. Im Falle der Proserpina, wird es ihn für immer an die Welt der Unterirdischen binden.

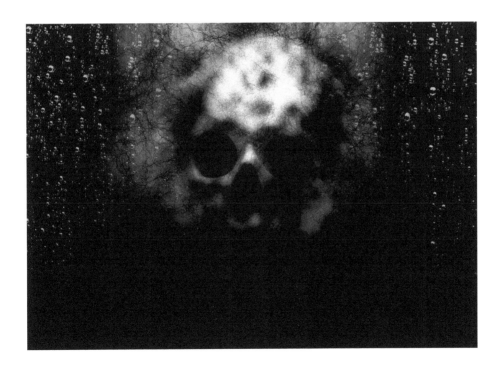

Auch die folgende Geschichte von St.Collen und Gwynn ap Nudd zeigt Parallelen zu Legenden des Hades

Gwynn ap Nudd ist Herrscher von Plant Annwn (was grob mit Hades-Familie übersetzt werden kann) und eigentlich bilden die Seen in Wales die Eingänge zu seinem unterirdischen Reich.

In der vorliegenden Sage geht es jedoch, um ein Schloss auf den steilen Feldern von Glastonbury. Am Fuße dieses Felsens lebte St. Collen, ein Eremit, in seiner Zelle. Auf der Spitze des Felsens erschien eines Nachts ein wunderbares Schloss, von da an erhielt er wiederholt Einladungen, es zu besuchen. Schließlich gab er dem Drängen nach, erstieg den Felsen und betrat das Schloss.

Sogleich fand er sich von schönen jungen Mädchen und jungen Männern umbringt. Soldaten und Hofdiener wimmelten durcheinander, letztere alle in Scharlachrot und Blau gekleidet. Gwynn ap Nudd bot St. Collen zu essen und trinken an. St. Collen aber sprach:

„Ich esse nicht die Blätter von einem Baum. Scharlachrot für ewiges Feuer und Blau für das Eis der Hölle sind passende Farben für jene Dämonen!"

Auf Geisterhügeln wächst häufig als deutliches Zeichen ein Dornenstrauch. Diese Sträucher gelten in der christlichen Mythologie, aber auch im Geisterreich als heilig.

In der Artus-Sage spielt der Dornbusch ebenfalls eine Rolle.

Die Legende von Lusmore

Im Irland erzählt man sich die Legende Lusmore, dem buck-ligen, der in einem fruchtbaren Tal zu Füßen der düsteren Galtee-Berge lebte. Lusmore bedeutet „roter Fingerhut" und hieß so, weil er stets einen Stengel von dieser Pflanze an seinem kleinen Strohhut trug. Lusmore litt sehr unter sei-ner Missgestalt. Die Leute im Dorf fürchteten sich vor ihm wegen seines unnatürlichen Aussehens und gingen ihm aus dem weg. Lusmores Buckel war gewaltig. Er sah aus, als be-stünde er nur aus diesem Buckel, an dem ein Kopf sowie Arme und Beine saßen. Wenn er saß, musste er die Beine auf die Knie stützen, um ihn überhaupt hoch zu halten. Au-ßerdem erfand man böse Geschichten über Lusmore, ge-wiss auch aus Neid, denn er verstand es, sehr schöne Körbe und Strohhüte zu flechten, für die die Leute gern mehr zahl-ten als für die Ware der anderen. Eines Abends befand sich Lusmore auf dem Heimweg vom hübschen Städtchen Cahir. Am alten Burggraben von Knockgafton setzte er sich nieder, um ein wenig auszuruhen. Da hörte er aus dem Graben überirdisch schöne Musik und er lauschte versunken der sich ständig wiederholenden Melodie. Als sie schließlich aussetzte, sang er den Refrain gedankenverloren in etwas höheren Tonlage weiter, ohne zu bemerken, dass auch die Geister im Graben inzwischen wieder eingestimmt hatten. Sie waren so begeistert von der neuen Variation ihrer Me-lodie, dass sie beschlossen, diesen Sterblichen sogleich hinunterzuziehen und mit ihm zu singen und zu musizieren. Das taten sie auch und feierten ihn und ließen ihn hochleben, als sei er der Größte im ganzen Land.

Nach einer Weile entstand eine Unruhe unter den Versammelten, sie wisperten und flüsterten miteinander und Lusmore wusste nicht recht, was er davon halten sollte, bis ein Geist hervortrat und sprach: „Lusmore, Lusmore, Fürchte dich nicht. Fort ist das Gewicht, Dein Rücken ist leer, Der Buckel liegt am Boden, Sieht nur her!"

Lusmore fühlte, wie seine Schultern ungewohnt leicht wurden und er hätte vor Freude einen Luftsprung tun mögen! Voll Verwunderung sah er um sich. Zum ersten Mal in Seinem Leben konnte er den Kopf heben und die Welt erschien ihm wunderschön. Überwältigt von all dem Glanz wurde ihm ganz schwindelig im Kopf und sein Blick trübte sich. Schließlich fiel er in einen tiefen Schlaf. Als er erwachte, Wunder über Wunder, war er ein verwandelter Mensch. Nicht nur sein Buckel war verschwunden, er war auch in einen schönen Anzug gekleidet, den ihm die Geister wohl geschenkt haben mussten, so dass er nun wirklich schön anzusehen war. Bald hatte sich die Geschichte im ganzen Land herumgesprochen. Da kam eines Tages eine alte Frau zu ihm und lies sich seine Heilung in allen Einzelheiten beschreiben, denn der Sohn einer Freundin litt ebenfalls unter einem Buckel. Lusmore war ein gutmütiger Kerl und gab bereitwillig Auskunft. Die Frau dankte ihm freundlich und ging davon. Sie erzählte ihrer Freundin, was Lusmore berichtet hatte und die beiden Frauen machten sich mit dem buckligen Sohn sogleich auf den Weg zum alten Burggraben von Knockgrafton. Der Bucklige aber, er hieß Jack Madden, war ein übellauniger Kerl und obendrein ungeduldig.

Als er die Zauberlieder hörte, machte er sich gar nicht erst die Mühe zuzuhören, um im richtigen Moment einzustimmen, sondern plärrte einfach dazwischen „Was Lusmore kann", dachte er," kann ich schon lange." Und wenn der einen neuen Anzug bekam, so bekomme ich zwei! Die Geister aber waren außer sich vor Zorn über die Störung, zerrten Jack Madden in den Graben hinunter, kreischten und schrien ihm in die Ohren. Dann trat einer hervor und sprach: „Jack Madden, Jack Madden, Schrill ist dein Gesang, Schwer sei dein Gang. Dein Lied war nichts wert, sei drum doppelt beschwert."

Und damit brachten zwanzig der Kräftigsten Lusmores Buckel und setzten ihn dem armen Jack auf den Rücken über seinen eigenen. Dann stießen sie den Unglücklichen aus ihrem Schloss. Am nächsten Morgen fanden die beiden Frauen ihn halbtot neben dem Graben liegend, mit zwei riesigen Buckeln auf dem Rücken, Jack Madden aber lebte nur noch wenige Tage mit der Last auf seinen Schultern, ehe er starb.

Die Legende von Shon ap Shenkin

Shop Shenkin ging eines schönen Sommermorgens spazieren und er vernahm eine wundervolle Zaubermelodie. Er setzte sich unter einen Baum und lauschte. Als die Weise verklungen war, erhob er sich und bemerkte zu seiner Verwunderung, dass der grüne saftige Baum, unter dem er gesessen hatte, alt und verdorrt war. Kopfschüttelnd ging er heim. Auch das Haus sah merkwürdig verändert aus, irgendwie älter und mit Efeu bewachsen. In der Tür stand ein fremder alter Mann, der Shon fragte, was er wollte. Shon erwiderte, dass er gerade eben vor ein paar Minuten aus diesem Haus gegangen sei. Darauf fragte ihn der Alte nach seinem Namen. Als er die Antwort vernahm, wurde er totenbleich und sprach: „Mein Großvater, der dein Vater war, erzählte oft von deinem Verschwinden." Bei diesen Worten zerfiel Shon ap Shenkin auf der Stelle zu Staub.

Die Warnung

Ein Bauer auf den Orkney Inseln war durch Stimmen gewarnt worden, nicht in einem bestimmten Hügel auf seinen Feldern zu graben, sonst werde er sechs Kühe verlieren und sechs Särge würden aus seinem Haus getragen. Er schlug die Warnung in den Wind und verlor als bald Familie und Vieh. Natürlich soll man auf verschwundenem Boden nicht bauen. Wer auf Geisterboden ein Bauwerk errichtet, ist schlecht beraten, denn das kleine Volk ist durchaus in der Lage, Häuser, Kirchen und sogar Schlösser zu bewegen, wenn ihm der Standort nicht gefällt. So ragte zum Beispiel die Ecke eines Hauses in Irland in einen Geisterpfad hinein. Jede Nacht scholl wüster Lärm durch das Haus, die Wände zitterten und der Besitzer fürchtete, es würde einfallen. Schließlich kam er drauf, die Ecke des Hauses, die sozusagen der Stein des Anstoßes war, abzutragen. Von da an hatte er Ruhe!

In anderen, ähnlichen Fällen fand man eine Notlösung, indem man die Eingangstür und die rückwertige Tür offenließ, um den Geistern freien Durchgang zu gewähren. Obwohl diese Lösung etwas zugig ist, liegt noch heute in vielen Bauernhäusern Irlands die Eingangs- und Hintertüren einander gegenüber. Hexen sind häufig in Geisterhöhlen zu Gast. In den großen Hexenprozessen des 17.Jahrhunderts war der Besuch von Geisterhöhlen darum auch ein häufiger Anklagepunkt.

Dreimal lacht der Lepreachaun

Vor langer Zeit lebte einmal ein Bauer, der jeden Morgen zeitig aufstand, um nach seinem Vieh und der Ernte zu sehen. Eines schönen morgens ging er wieder hinaus, als er ein Geräusch hörte, das klang so, als ob jemand hämmere. Er blickte sich um und sah, dass nahe bei ihm ein riesiger Pilz aufwuchs. Er war erstaunt über die Größe des Pilzes, deswegen sah er genauer hin. Und was entdeckte er da? Nichts anderes als einen Lepreachaun, der sich ein paar Schuhe machte. Der Bauer sprang hinzu und bekam den kleinen Mann zu fassen.

„Nach dir habe ich schon lange Ausschau gehalten", rief er, „dich lasse ich nicht mehr aus den Händen, bis du mir verrätst, wo ich Reichtümer finden kann."

Man sagt nämlich, dass die Dänen, als sie Irland verließen, eine Menge Geld vergruben, und dass nur die Lepreachauns wissen, wo man es finden kann.

„Ich kann dir nichts sagen", rief das kleine grüne Männchen, „ich weiß nichts von Schätzen und Geld."

„Heraus mit der Sprache", schrie der Bauer, „oder ich schneide dir den Kopf ab." „Ich weiß nichts, ich weiß nichts", jammerte der Lepreachaun.

Der Bauer trug ihn ins Haus und sperrte ihn dort in eine große Truhe. Sieben Jahre hielt er ihn so gefangen. Eines Tages, als der Bauer an der Küste spazieren ging, fand er ein großes Stück Holz, das von der Flut an Land gespült worden war. Er verkaufte es an einen anderen Mann, und als er von diesem Geschäft nach Hause kam, hörte er den Lepreachaun in der Truhe lachen. Zuerst kümmerte sich der Bauer nicht weiter darum, aber als die sieben Jahre voll waren, nahm er den Lepreachaun aus der Truhe. „Verrate mir, wo ein Schatz liegt?"

„Ich weiß von keinem Schatz."

„Warum hast du dann gelacht?" „Man wird doch noch lachen dürfen", sagte der Lepreachaun. „Dich will ich lachen lehren", antwortete der Bauer. „Ich werde dich abermals sieben Jahre in die Truhe sperren, danach wirst du mir schon sagen, wo ich nach dem Schatz suchen muss."

Eines Tages, kurz darauf, kam ein alter Mann an dem Bauernhof vorbei. Der Bauer saß beim Frühstück, und er lud den armen Mann ein, am Tisch bei ihm Platz zu nehmen und mit ihm zu essen.

„Nein danke, ich muss eilig weiter", antwortete der alte Mann. Kaum war der Alte fort, da brach sich der Bauer ein Bein. Wieder lachte der Lepreachaun, und wieder achtete der Bauer weiter nicht darauf. Als jedoch abermals sieben Jahre um waren, holte er den kleinen Mann zum zweiten Mal aus der Truhe.

„Wenn du mir jetzt nicht sagst, wo ich einen Schatz finden kann, schlage ich dir wahrhaftig den Kopf ab", schrie er ihn an. „Tu, was du nicht lassen kannst. Ich kann dir nichts sagen", antwortete der Lepreachaun.

Der Bauer schloss ihn wütend wieder in die Truhe ein. Kurze Zeit darauf hörte der Lepreachaun in seinem Gefängnis, wie der Bauer davon erzählte, er wolle auf den Jahrmarkt gehen. Wenn in jener Zeit jemand etwas Geld besaß, so vergrub er es in der Erde, weil er fürchtete, es könne an einem anderen Ort gestohlen werden. Es gab damals viele Diebe, und ein paar davon leben ja auch heute noch. Ehe der Bauer sich zum Jahrmarkt auf den Weg machte, ging er zu seinem Versteck, um etwas Geld zu holen. Das beobachteten Diebe. Der Bauer ging zum Jahrmarkt. Der Bauer kam wieder heim, und abermals lachte der Lepreachaun. Wütend sprang der Mann zu der ruhe, packte den Lepreachaun beim Kragen und hielt ihn hoch in die Luft. „Das ist nun schon das dritte Mal, dass du lachst, seitdem ich dich gefangen habe", sagte er, „was gibt es nun schon wieder zu lachen?"

„Es gibt viele Dinge, die manch einer besser nicht weiß", sagte der Lepreachaun.

„Genug mit dem törichten Gerede", schrie ihn der Bauer an, „ich lasse mich von dir nicht länger zum Narren halten. Sag mir auf der Stelle, warum du gelacht hast."

„Bist du ganz sicher, dass du es wissen willst?", fragte der Lepreachaun.

„Was sonst, also heraus mit der Sprache!" „Nun", sagte der Lepreachaun, „du erinnerst dich gewiss noch an den Tag, als du den großen Balken unten am Meer gefunden hast!"

„Ja und?", fragte der Bauer. „Der Balken war hohl und steckte voller Geld. Der Mann, dem du den Balken verkauft hast, ist seither reich geworden."

So viel ist wahr", sagte der Bauer, „aber nun sag mir auch, warum hast du das zweite Mal gelacht?" „Ach, warum willst du es wissen!" „Nun sag schon."

„Nun gut", sagte der Lepreachaun, „du erinnerst dich gewiss auch noch an den Tag, an dem der alte Mann hier vorbeikam. Du ludest ihn ein, mit dir zu essen, und er lehnte ab. Als er deine Einladung ausschlug, schlug er damit auch dein Glück nieder. Er war noch nicht lange fort, da hast du dir das Bein gebrochen. Wäre er bei dir zum Frühstück geblieben, so wäre die Gefahr an dir vorbeigegangen."

 „Und jetzt sag mir auch noch, warum du zum dritten Mal gelacht hast?"

„Erlass es mir", bat der Lepreachaun, „du wirst dich nur ärgern, wenn du es weißt."

„Ich will es wissen."

„Schon gut", sagte der Lepreachaun, „als du dich bereit machtest, um auf den Jahrmarkt zu gehen, da holtest du aus deinem Versteck auf dem Feld etwas Geld. Ein paar Münzen hast du in die Tasche gesteckt. Diebe haben dich beobachtet. Als du auf dem Jahrmarkt warst, kamen sie zu der Stelle zurück und stahlen dir den Rest."

Wütend rannte der Bauer hinaus, um nach seinem Geld zu suchen. Vor lauter Ärger vergaß er, den Lepreachaun wieder einzusperren, und kichernd rannte das kleine grüne Männchen davon. Der Bauer lief auf den Acker. Er grub hier. Er grub dort. Er suchte nach dem Geld und fand es nirgends. Und wenn ihm der Lepreachaun nicht schon vorhergesagt hätte, dass es gestohlen worden war, so hätte er wohl bei der Suche den letzten Rest Verstand verloren, den er noch besaß.

Schätze des Hügelvolks

Die Geister bewachen ihre Schätze so eifersüchtig, dass man sich hüten sollte, sich daran zu vergreifen. Schatzsucher, die in einen verzauberten Hügel eindringen wollen, hören merkwürdige, klagende Stimmen oder ein plötzlich ausbrechender Sturm braust ihnen um die Ohren. So berichtet Pfarrer F. Warne in seinen Aufzeichnungen aus dem Jahre 1854 zum Beispiel von einigen Männern, die in ihrer Gier nach Gold in den heiligen Hügel von Castle Neroche in Somerset eindringen wollten. Noch ehe sie eine einzige Münze gefunden hatten, wurden sie von panischer Furcht ergriffen und verließen den Ort in kopfloser Flucht. Mit ihnen geschah Furchtbares und Unerklärliches: Vier Wochen später war keiner von ihnen mehr am Leben. Sie starben alle durch Unfälle oder wurden durch heftiges Fieber dahingerafft.

Spriggan

Spriggan sind klein und hässlich und von groteskem Aussehen. Trotz ihrer winzigen Gestalt können sie sich riesengroß aufblähen, weshalb man auch glaubte, sie seien die Geister verstorbener Riesen. Nur als Hüter von in Hügeln verborgenen Schätzen machen sie sich nützlich.

Im Übrigen sind sie üble Diebe, Räuber und Schurken. Kein Menschenhaus ist vor ihnen sicher. Sie rauben den Säugling aus der Wiege und lassen stattdessen einen abscheulichen Wechselbalg zurück.

Sie zaubern einen Wirbelsturm, um die Kornernte zu vernichten und schrecken auch vor keiner bösen Tat zurück. In einer Sammlung westenglischer Volksmärchen steht die Geschichte von der alten Frau, in deren Häuschen eine Diebesbande von Springgans nachts ihre Beute teilte.

Dabei ließen sie immer auch eine Münze für die Alte zurück. Diese aber wollte mehr.

Eines Nachts zog sie deshalb ihr Hemd mit der Innenseite nach außen an. Dies ist ein ebenso zuverlässiges Mittel gegen Spukgeister wie Wehwasser oder ein Stück Eisen.

So gelangte sie in den Besitz der gesamten Beute. Die Kobolde aber rächten sich auf ihre Weise: Jedes Mal, wenn die alte Frau danach das Hemd trug, litt sie Todesängste.

Der Geizhals auf dem Geisterhügel

Ein ganz bestimmter Hügel in Cornwall, der Gump ist dafür bekannt, dass in ihm das Geistervolk fröhliche Feste feiert. Man weiß auch, dass Geister sich bei ihrem Treiben nicht gern zusehen lassen. Wenn ein Mensch aber wohlgesittet ist, kann es schon einmal vorkommen, dass er dabei sein darf und vielleicht sogar noch ein kleines, aber kostbares Geschenk erhält. Da gab es nur einen Geizkragen, der sich an solch einen Geisterfest bereichern wollte. Eines nachts machte er sich auf, die kleinen Leute zu bestehlen. Er stieg den Hügel hinauf und hörte schon bald Musik unter seinen Füßen, konnte aber nichts sehen.

Je höher er kam, desto lauter wurde die Musik und plötzlich öffnete sich der Berg vor ihm. Eine große Schar von Geistern strömte heraus, voran die Musiker, gefolgt von Soldaten und schließlich eine grausig ansehende Horde von Spriggans, die in Cornwell Hüter von Schätzen und Geisterhügel sind. Beim Anblick dieser furchterregenden Leibgarde zögerte der Geizkragen ein wenig, schritt dann aber voran, da er ja viel größer als all diese Spriggans war.

Der Hügel glänzte von Myriaden feinster Juwelen, die an den Grashalm blitzten und der Geizhals blickte voller Gier auf das Kostbare mit Edelsteinen besetzte Tafelgeschirr aus allerfeinstem Gold und Silber. Während der Hofstaat erschien und der Geisterprinz mit seiner Prinzessin auf die kostbar gedeckte Tafel zuschritt, beschloss der Geizhals,

diese zuerst abzuräumen. Zu spät bemerkte er das die Spriggans glänzende Seile über ihn geworfen hatten und dass aller Augen auf ihn gerichtet waren.

Plötzlich versank alles in Dunkelheit. Er spürte einen scharfen Ruck, fiel auf den Rücken und fühlte wie es ihn von überall Kopf bis Fuß zwickte und zwackte.

Als er in der Morgendämmerung erwachte, fand er sich am
Fuß des Hügels auf dem Rücken liegend und mit tau feuch-
ten Spinnweben bedeckt.

Die Geschichte von den Schmugglern

Eines Abends landete in der Nähe von Long Rock in Cornwall eine kleine Bande von Schmugglern. Sie luden ihre Ware aus dem Boot und trugen sie über die Hochwasserlinie hinauf an Land. Darauf verließen drei der Männer die Gruppe, um das Nötige für den Verkauf der Schmuggelware vorzubereiten. Die drei anderen, unter ihnen Tom Warren, der kühnste Schmuggler jener Tage, legten sich zur Ruhe. Sie waren kaum eingeschlummert, als schrilles Pfeifen und Klingeln sie aus dem Schlaf schreckte. In der Meinung, es handle sich um junges Volk, das sich in der Nähe amüsierte, stieg Tom Warren auf die nächste Düne, um ihnen zu sagen, sie sollten verschwinden. Als er aber oben angelangt war, sah er ganz in der Nähe zwischen den Dünen ein bunt gekleidetes Völkchen tanzen und springen, von dem niemand größer als eine Puppe war.

Tudur der Hirte

Von Tudur, einem walisischen Schafhirten, erzählt man die folgende Geschichte: Er sah eines Tages wie Kobolde zur Musik eines winzig kleinen Fiedlers tanzten.

Eine ganze Weile schaute er zu und versuchte, dem Zauber der Musik zu widerstehen. Schließlich aber sprang er mit den Worten:

„Was soll es mit all der Vorsicht! Spiel auch für mich, du Teufelskerl!"

Fabelwesen

Fabelwesen sind Geschöpfe, deren äußere Erscheinung durch die Phantasie der Menschen geprägt ist und deren Existenz nicht belegt werden konnte. Es handelt sich dabei um menschliche Wesen, Tiere, Geistwesen oder Mischwesen (Chimären), die im Märchen, in der Fabel, in der Mythologie und in der Heraldik eine wichtige Rolle spielen, zum

Beispiel der Minotauros, der Zyklop oder der Zentaur. Die meisten Fabelwesen gelten heute als Phantasiegebilde der Menschen ihrer Zeit. Dennoch haben viele ihren Ursprung in der realen Welt: So geht man zum Beispiel davon aus, dass in früheren Zeiten Seefahrer Seekühe zu Meerjungfrauen oder Nixen umgedeutet haben und dass zufällig gefundene Mammutknochen einem Riesen zugeordnet wurden. In einigen wenigen Fällen hat sich ein regionales „Fabeltier" in der neueren Forschung sogar als echtes Tier erwiesen. Beispiele hierfür sind das Okapi im Kongogebiet, der Moa und die Brückenechse auf Neuseeland und schließlich das Saola in Vietnam.

In den fürstlichen Wunderkammern, die ab dem 16. Jahrhundert entstanden, nahmen Raritäten und Fabelwesen einen besonderen Platz ein. So zeichnete zum Beispiel Conrad Gessner Drachen und Einhörner, die wahrhaftig in den Alpen vorkämen. Damit sollte der Reichtum von Gottes Natur dargestellt werden. Zu den bekanntesten modernen Fabelwesen zählen etwa Mothman und der Jersey Devil oder Kryptiden wie Bigfoot und das Ungeheuer von Loch Ness.

Das Einhorn (lat. unicornis, griech. monókeros) ist ein Fabelwesen von Pferde- oder Ziegengestalt mit einem geraden Horn auf der Stirnmitte. Es wurde im Mittelalter besonders durch den Physiologus bekannt, gilt als das edelste aller Fabeltiere und steht als Symbol für das Gute.

-Info von Wikipedia-

Das Einhorn

Das Einhorn ist ein weiteres der bekanntesten Fabelwesen, deren mythischer Hintergrund ebenfalls aus dem Mittelalter stammt.

Dieses magische Wesen steht für den Inbegriff des Guten und Reinen. Es wird gesagt, dass das Einhorn ein sehr scheues Wesen ist, was allerdings seine Scheu gegenüber einer Jungfrau verliert und sich von dieser berühren lässt und sogar seinen Kopf in ihren Schoss legt und einschläft. Diesen Zustand sollen sich Jäger zu Nutze gemacht und Jungfrauen als Köder bei der Jagd eingesetzt haben.

Das Horn eines Einhorns war eine begehrte Jagdtrophäe, die Ruhm und Ehre versprach.

Aussehen eines Einhorns

In Erzählungen wird das Einhorn zumeist als ein weißes Pferd oder pferdeähnliches Geschöpf beschrieben, welches ein gedrehtes Horn auf der Stirn hat. Teilweise wird behauptet es gäbe auch Einhörner mit anderen Fellfarben, die von Weiß - Schattierungen bis hin zu Regenbogenfarben gehen. Außerdem soll es auch Einhörner mit Flügeln gegeben haben, die heute auch unter dem Namen Pegasus bekannt sind.

Magische Fähigkeiten von Einhörnern

Dem Horn dieses edlen Tieres werden besondere, magische Fähigkeiten zugeschrieben, was auch die Begehrtheit bei Jägern erklärt. Darüber hinaus diente das Horn natürlich zum Angriff und zur Verteidigung gegen Feinde. Es soll dem Einhorn möglich gewesen sein zu heilen und sogar Tote wiederzubeleben. Aber auch das Einhorn selbst soll heilende Fähigkeiten gehabt haben. So konnten die Tränen eines Einhorns Versteinerungen lösen. Wer das Blut eines Einhorns zu sich nahm wurde unsterblich. Allerdings hatte diese Unsterblichkeit einen hohen Preis, denn man führte von dem Moment an ein verfluchtes Leben.

Das goldene Einhorn

Vor vielen Jahren lebten in einem Zauberwald tausende von weißen Einhörnern. Es gab nicht nur Einhörner in dem Wald, sondern auch Hexen, Elfen und andere Zauberwesen. Eines Tages geschah etwas seltsames, was bisher noch nie in dem Zauberwald passiert war. Eines der Einhörner half einer Fee und kam von diesem Abenteuer mit goldglänzendem Fell zurück. Und das geschah so: An einem schönen Frühlingsmorgen hörte dieses Einhorn ein fürchterliches Schluchzen. Es folgte dem leisen Weinen und kam so auf eine wunderschöne Blumenwiese, wo es einen großen Topf am Ufer des kleinen Baches fand. Es ging näher heran und fand heraus, dass das Schluchzen aus diesem eigenartigen Topf kam. Als es direkt am Topf stand, bemerkte es, dass der Topf sehr hexisch aussah und stellte vorsichtig die Frage: "Wer bist du?" Aus dem Topf antwortete es: "Ich bin die Fee Violetta, mir wurde meine Zauberkraft weggenommen. Und wer bist du? "Ich bin ein Einhorn. Wie kann ich dir helfen?" "Du kannst mich aus meinem Gefängnis befreien, indem du mit der Spitze deines Hornes den Deckel des Topfs berührst." Das Einhorn tat, worum es die Fee gebeten hatte. Da sprang der Deckel vom Topf und die Fee flog so schnell sie konnte ins Freie. Als sie wieder auf den Boden kam, bedankte sie sich sehr bei dem Einhorn. Das Einhorn fragte: "Wer hat dir deine Zauberkraft weggenommen?" Die Fee antwortete: "Eine böse Hexe hat mir meine Uhr, die ich von meiner

Ururururururururgroß-mutter geerbt habe, weggenommen und mich in diesen dunklen Topf eingesperrt." Das Einhorn fragte: "Wie ist es passiert?"

"Ich erzähl`s dir," sagte die Fee Violetta und begann: "Ich pflückte gerade auf dieser Blumenwiese die schönsten Blumen. Dabei verlor ich meine Uhr, in der meine Zauberkraft war. Als ich es bemerkte, suchte ich überall nach ihr. Ich sah unter dem Baum nach, ich fragte den Kuckuck, ob er meine Uhr gesehen hätte, aber er antwortete: "Leider nein, keine Spur." Da suchte ich am Fluss nach ihr. Dort fand ich sie auch nicht. Schließlich fragte ich die Menschen im nächsten Dorf. Ich beschrieb ihnen meine Uhr: rosa mit blauen Herzen. Aber auch die Menschen hatten sie nicht gesehen. Einer von Ihnen hieß Achim. Ich tat ihm wohl leid. Die anderen Menschen bemerkten nicht, dass ich eine Fee war und hielten mich für eine Verkäuferin, die Stifte, Füller, Spitzer und Briefumschläge verkaufte, denn meine Schürze, die ich trug, war mit allen diesen Dingen bedruckt. Achim hatte ein Pferd, das er mir für die Suche nach meiner Uhr leihen wollte. Ich nahm sein Pferd an und schenkte ihm dafür eine Flasche mit frischem Quellwasser, die ich noch bei mir hatte. In diesem Moment stand eine Katze neben uns, die einer bösen Hexe gehörte. Die Katze, die alles mitbekommen hatte, lief zu ihrer Hexe und erzählte ihr alles. Die Hexe zog sogleich ihre Zauberschuhe an und wünschte sich an den Ort, an dem meine verlorene Uhr lag. Sie fand sie direkt und gerade als sie sie in ihren Umhang stecken wollte, kam ich auf dem ausgeliehenen Pferd angeritten. Wir stritten uns fürchterlich um meine Uhr, in der ja meine Zauberkraft versteckt war. Dabei gewann leider die Hexe und so hexte sie mich in diesen großen Topf, aus dem ich nicht mehr entkommen konnte und flog davon. Ich musste in diesem dunklen Topf gefangen bleiben. Der Topf lag verborgen am Rande der Blumenwiese, da wo der kleine Bach sich durch die Wiese schlängelte. So oft ich es auch versuchte, den Topf umzukippen oder den Deckel wegzustoßen, um mich zu befreien, es gelang mir nicht, denn Topf und Deckel waren festgehext."

Das Einhorn hatte dieser Geschichte gespannt zugehört und fragte Violetta: "Wie konntest du denn deine Uhr verlieren?"

"Ich weiß es nicht. Ich muss sie wohl zu locker umgelegt haben." "Und wo ist das ausgeliehene Pferd?" fragte das Einhorn weiter.

"Es muss hier noch irgendwo grasen," antwortete Violetta. Und tatsächlich stand es am anderen Ufer des Baches und schien nichts von der Geschichte bemerkt zu haben. Violetta und das Einhorn riefen das Pferd zu sich und fragten es, ob es gesehen hätte, wohin sich die Hexe davongemacht hätte. Darauf antwortete es in Pferdesprache: "Sie ist hinter dem Baum dort verschwunden, wohin könnt ihr nur beim Kuckuck erkunden." Da blieb ihnen nichts anderes übrig, als den Kuckuck zu fragen. Der Kuckuck führte sie durch einen Hexenwald zu einem dunklen kleinen Haus. Die Hexe hatte schon gemerkt, dass ein Einhorn in ihren Hexenwald eingedrungen war. Sie bekam daher große Angst und verwandelte sich in einen schrumpeligen Apfelbaum mit schwarzem Stamm, braunen Blättern und verfaulten, weißen, schrumpeligen Äpfeln, der vor dem Haus stand. Hätte man einen der Äpfel probiert, wäre man tot umgefallen, denn die Äpfel waren vergiftet. Als die Fee Violetta und das Einhorn zum Haus der Hexe kamen, beachteten sie den hässlichen Apfelbaum gar nicht und wunderten sich, denn es war mucksmäuschenstill und keine Spur von der Hexe zu sehen. Sie wussten nicht, wie sie in das Hexenhaus kommen sollten, denn unmittelbar vor der Tür stand der Apfelbaum.

Violetta flüsterte dem Einhorn zu: "Die Hexe scheint nicht da zu sein. Wir können nach meiner Uhr suchen." "Ja, aber wie kommen wir hinein?" fragte das Einhorn. "Mh, du könntest mit deinem Horn versuchen, ein Fenster aufzuzaubern."

Das Einhorn versuchte es und hatte viel Erfolg. Das Fenster öffnete sich und Violetta kletterte hinein. Das Einhorn hielt Ausschau, ob die Hexe vielleicht wiederkommen würde. Als Violetta im Zimmer war, sah sie, dass dort ein ziemliches Chaos herrschte. Eine Hexenkugel lag auf dem Boden. In einer Ecke stand ein Besen. Um ihn herum waren viele Spinnweben. Da bemerkte Violetta, dass sie auf einer Uhr stand. Es war aber nicht ihre Uhr. Es war eine rote Uhr mit gelben Punkten. Als sie sich weiter umsah, entdeckte sie eine Kuckucksuhr an der Wand, sie war ziemlich ausgeleihert. Aus ihr guckte der Kuckuck heraus, er gab aber keinen Laut von sich. Außerdem entdeckte Violetta noch einen Schrank. Er war einen Spalt weit geöffnet und Violetta entdeckte eine lila Uhr, die heraushing. Sie ging zum Schrank und öffnete ihn. Es waren tausende Uhren darin. Alle waren einfach so hineingeschmissen. Violetta begann nach ihrer Uhr zu suchen. Sie suchte und suchte und suchte, aber sie fand ihre Uhr nicht. Da wurde die Fee traurig, aber sie gab nicht auf. Sie schaute sich noch einmal genau um, doch ihre Uhr war nicht zu sehen. Da war plötzlich von draußen ein lauter Knall zu hören.

Gleich darauf wieherte das Einhorn laut. Da erinnerte sich Violetta, dass sie draußen das Einhorn alleine gelassen hatte und lief schnell zum Fenster. Vor dem Haus war alles vernebelt. Violetta konnte nur den Kopf des Einhorns sehen. Als der Nebel sich aufgelöst hatte, wurde an der Stelle des hässlichen Apfelbaumes langsam eine Gestalt sichtbar, in der Violetta die böse Hexe erkannte. Beim Aufpassen vor dem Haus hatte das Einhorn mit seiner Hornspitze den Apfelbaum berührt und den Zauber der Hexe aufgelöst. Nun stand diese zitternd vor ihnen und wagte kein Wort zu sprechen. Das Einhorn legt die Ohren an und bäumte sich direkt vor der Hexe auf.

Die Hexe fragte mit zitternder Stimme: "Was wollt ihr von mir?"

"Meine Uhr," antwortete Violetta böse. "Und wenn du sie mir nicht wiedergibst, kannst du was erleben."

Die Hexe musste einsehen, dass die Zauberkraft des Einhorns mächtiger war als ihre eigene, holte Violettas Uhr aus ihrem Umhang und ließ sie zu Boden fallen. So schnell sie konnte, hob Violetta sie auf und machte sie so fest es ging um ihren Arm, um sie nie mehr zu verlieren. Als das geschehen war, nahmen Violetta und das Einhorn der Hexe ihre Hexenkraft weg. Die Fee Violetta sagte: "Die kann nun keinem mehr etwas wegnehmen!"

Die Hexe musste von nun an schwer im Wald arbeiten, weil sie sich keine Dinge mehr hexen konnte. Das Einhorn erlaubte Violetta auf seinem Rücken zur Blumenwiese zurückzureiten. Als sie dort ankamen, sah alles viel heller und bunter aus, denn der Hexenwald war sehr dunkel gewesen. Da fiel Violetta ein, dass sie ihre Rettung und ihre wiedergewonnene Zauberkraft dem Einhorn zu verdanken hatte. Zum Dank zauberte sie dem Einhorn ein goldglänzendes Fell, so dass dieses das schönste Einhorn von alle im Zauberwald wurde. Von diesem Tage an wurde es Goldhorn genannt.

Die Prinzessin und das Einhorn

Vor langer Zeit in einem fernen Land, da lebte eine Prinzessin in einem großen Schloss. Die Prinzessin hieß Amalia. Sie hatte langes blondes Haar, das sie zu einem Zopf geflochten hatte. Ihre grünen Augen funkelten und ihre vollen Lippen glänzten rot. Sie war klein und zierlich. Ihre Bewegungen anmutig. Und jeder der sie ansah, dachte nur, wie wunderschön sie sei. Amalia hasste die heuchlerische höfische Gesellschaft und war am liebsten für sich in den Wiesen und Feldern. Die Felder des Königreiches endeten im Norden an einem Wald. Sie musste ihren Eltern versprechen niemals dort hineinzugehen. Noch nie sei jemand von dort zurückgekommen. Da sie eine gehorsame Tochter war, versprach sie es und kam dem Wald auch nie zu nahe.

Eines Tages ritt sie mal wieder mit ihrem Pferd aus. Es war kurz vor ihrem 17. Geburtstag. Ihr sonst so ruhiger Schimmel scheute und ging mit ihr durch. Er war nicht zu halten und lief auf den Wald zu. Angst erfasste Amalia. Kurz vor dem Ende des Feldes stoppte das Tier plötzlich und stieg. Die Prinzessin konnte sich nicht mehr halten und fiel hinunter. Sie sah nur noch, wie das Pferd sich umdrehte und in entgegengesetzter Richtung davon galoppierte. Langsam setzte sie sich auf und schaute ob ihr irgendetwas fehlte. Außer Schmerzen am Fuß schien alles in Ordnung. Sie stand auf und humpelte zu einer großen Eiche. Der Weg zum Schloss war weit. Mit den Schmerzen im Fuß kaum zu schaffen. Aber Amalia war zuversichtlich. Bald würde der Schimmel das Schloss erreichen und ihre Eltern würden sie suchen lassen. Sie setzte sich und lehnte sich gegen den Baum. Sie merkte wie müde sie war und schloss die Augen. Auf einmal schreckte sie hoch. Was war das für ein Geräusch gewesen? Sie zwinkerte, um besser sehen zu können. Sie zwinkerte nochmals, weil sie nicht glauben konnte, was dort aus dem Unterholz direkt auf sie zu kam. Sie musste wohl Träumen. Anders war es nicht zu erklären. Sie rieb sich die Augen und kniff sich. Doch sie war wach!

Und das Wesen kam weiter auf sie zu. So ein schönes Pferd hatte sie noch nie gesehen. Es war schneeweiß. An den Fesseln hatte es viel Behang. Die Mähne und der Schweif waren üppig und lang. Alles glänzte seidig. Es hatte dunkelblaue Augen, die denen eines Menschen ähnelten. Auf seinen feinen schwarzen Hufen kam es immer näher. Aber das wohl ungewöhnlichste war das lange Horn in der Mitte der Stirn. Es war spitz zulaufend und gedreht. Die Spitze schien zu leuchten. Amalia konnte sich nicht rühren. Nicht einmal den Blick abwenden. So etwas hatte sie noch nie gesehen.

Auch die Gäste, die von weit herkamen, um ihre Eltern zu besuchen, hatten nie von etwas Ähnlichem berichtet. Das Tier blieb ein paar Meter vor Amalia stehen, senkte den Kopf und schnaubte. Auf einmal riss es den Kopf hoch. Blähte die Nüstern und scharrte unruhig mit den Hufen auf dem Boden. Amalia schaute in die Richtung, in die das Tier blickte und sah das Reiter auf sie zukamen. Als sie wieder zu dem rätselhaften Pferd schaute, war es in den Tiefen des Waldes verschwunden. Hatte sie nur geträumt? Die Reiter waren die Garde des Vaters und hatten sie wieder nach Hause gebracht.

Amalia lag in ihrem Zimmer auf ihrem hellgelb bezogenen Himmelbett. Sie dachte über die Begegnung mit diesem märchenhaften Wesen nach. Hatte sie es wirklich gesehen? Oder hatte sie sich bei dem Sturz vom Pferd doch eine Verletzung am Kopf zugezogen? So schlimm war der Sturz ja gar nicht gewesen. Selbst der Knöchel tat nicht mehr weh. Dieses Tier ging ihr einfach nicht aus dem Kopf. Sie zeichnete es mit Kohle.

Immer wieder brachte sie es zu Papier und versuchte die Magie dieses Geschöpfes den Zeichnungen einzuhauchen. Aus Sorge um seine Tochter befahl der König einem Vertrauten, er solle Amalia ständig begleiten. Sie ritten auch zu dem Wald im Norden des Landes, aber das Tier, was sie, wegen des einen Hornes in der Mitte der Stirn, Einhorn nannte, kam nicht zu ihr.

Die Tage vergingen und nach einiger Zeit glaubte sie selbst nicht mehr an das gesehene. Manchmal besuchte das Einhorn sie im Traum. Es stand da und blickte sie warm an. Also hatte sie damals wohl doch geschlafen. Die Monate vergingen. An ihrem 18. Geburtstag feierte das ganze Königreich ein Fest. Prinzen kamen von überall her, um die Schönheit der Prinzessin mit eigenen Augen zu sehen und um Ihre Hand anzuhalten.

Diese Aufmerksamkeit, die ihrer Person zuteilwurde, mochte Amalia gar nicht. Sie stahl sich davon und ritt mit ihrem Schimmel aus. Sie entfernte sich immer weiter vom Schloss.

Plötzlich wurde ihr bewusst, dass sie zum Einhornwald, wie sie ihn seit der außergewöhnlichen Begegnung nannte, ritt. Sie hatte das Gefühl auf einmal leicht und frei zu sein. Am Wald angekommen stieg sie von ihrem Pferd und überließ es sich selbst. Sie setzte sich unter die Eiche und wartete. Es dauerte nicht lange und sie sah wie sich zwischen den Bäumen etwas weißes Bewegte. Langsam und anmutig kam das Einhorn auf sie zu. Beide hatten keine Angst und keine Scheu voreinander.

Das Einhorn blieb vor ihr stehen senkte den Kopf und blies Amalia seinen warmen Atem ins Gesicht. Die Prinzessin streckte die Hand aus und berührte ganz sacht den Hals des ungewöhnlichen Pferdes. Das Fell war seidig weich und seine Haut war warm. Sie stand auf, schlang die Arme um den Hals des Tieres und vergrub ihr Gesicht in seiner Mähne. Eine Ruhe erfasste Sie und sie wusste genau, was sie tun musste.

Wochenlang durchkämmten alle verfügbaren Männer das ganze Königreich. Die Meldung der verschwundenen Prinzessin ging weit über die Grenzen des Landes hinaus. Der König versprach dem, der sie wohlbehalten zurückbringen würde, sein Königreich als Lohn und die Hand seiner

Tochter. Aber niemand hatte sie nach ihrem Verschwinden von dem Fest je wiedergesehen.

Die Elfen

Der Begriff Elfen leitet sich im deutschsprachigen Raum aus der ursprünglichen Bezeichnung Alben bzw. Elben ab. Diese Wesen haben Ihre Wurzeln in der nordischen Mythologie. Es handelt sich um Naturgeister, die teilweise als Feen ähnliche Wesen von atemberaubender Schönheit aber auch als eine Art Zwerg oder Gnom beschrieben werden, die eine hässliche Erscheinung sind. Natürlich wird den schönen Wesen zugeschrieben, dass sie Glück bringen im Gegensatz zu den hässlichen Elfen, die Pech bringen sollen. Andere Bezeichnungen der guten und bösen Elfen sind u.a. auch Licht- und Schattenalb und Mischformen aus diesen beiden Formen nennt man Dunkelalben, die meist eher ein negatives Ansehen genossen. Andere Erzählungen beschreiben Elfen als menschenähnliche Wesen von großer Schönheit. Allgemein verstecken sich Elfen vor den Blicken der Menschen und verschwinden sobald sich ein Mensch nähert. Falls ein Mann dennoch einmal eine weibliche Elfe erblicken kann, so wird gesagt, dass er zukünftig nach der Schönheit dieser Elfe bei den menschlichen Frauen sucht, was ihn natürlich zu einem einsamen Leben verdammt, da die Schönheit einer Frau nie der einer Elfe gleichkommen kann.

Die Wandlung des Ansehens von Elfen

Im Laufe der Zeit hat sich das Bild von Elfen eher zum Negativen entwickelt, so dass man im Mittelalter davon ausgegangen ist, Elfen, zu dieser Zeit hießen sie Alb, wären

Dämonen und Seelen von kürzlich verstorbenen, die den Menschen Schaden zufügten. Z.B. legte sich ein Alb auf die Brust von Schlafenden und verursachten so Atemnot und Albträume oder sie schlüpften durch den Mund des Menschen in dessen Körper, um das Blut zu trinken. In der heutigen Zeit ist der Glauben an Elfen in Island noch stark verbreitet.

Ursprung der Unterteilung Elfen

Die Unterteilung der Elfen in Gut und Böse erinnert stark an die christliche Unterscheidung von Engeln und Dämonen. Genau kann man sich aber nicht sicher sein, ob diese Unterscheidung der Elfen so entstanden ist.

Der graue Fuchs und der Drache

ist eine Fabel des griechischen Dichters Äsop

Eines Tages traf eine graue Füchsin im Wald auf einen roten Fuchs. Sie wanderten gemeinsam weiter und unterhielten sich dabei.

Einmal fragte der rote Fuchs: "Verzeih die Frage, aber welche Farbe hat dein Fell? Ich habe diese Fellfarbe noch nie bei einem Fuchs gesehen."

Die graue Füchsin antwortet: "Wie du sehen kannst, ist mein Fell grau."

Nach langem Nachdenken antwortet der rote Fuchs: "Ich habe schon viele Füchse getroffen, aber noch nie einen mit grauem Fell. Warst du vielleicht einmal rot und dein Fell ist durch das Alter grau geworden?"

Die Füchsin antwortet: "Nein, mein Fell war schon immer grau.", worauf der rote Fuchs antwortet: "Das kann nicht sein. Füchse sind rot, oder weiß oder braun aber niemals grau."

Daraufhin stieß die Füchsin ein Geheul aus, und mit lautem Brüllen und Flügelschlagen erschien ein Drache. Die Füchsin erzählte dem Drachen von dem Gespräch, worauf der Drache antwortet: "Ich kenne diese Füchsin schon lange, und ihr Fell war immer grau. Warum akzeptierst du das nicht einfach?"

Da kriegt es der rote Fuchs mit der Angst zu tun und wimmert: "Oh mächtiger Drache, ich kenne viele Füchse, und wenn du mich gehen lässt, garantiere ich dir zum Dank große Reichtümer.", doch der Drache widerspricht: "Ich bin nicht an Schätzen interessiert, und habe keinen Hort. Ich möchte nur meiner Freundin helfen."

Darauf sagt der rote Fuchs: "Aber es ist doch weithin bekannt, dass Drachen Schätze über alles lieben. Und ich verspreche dir so viele Schätze wie du wünschst, wenn du mich nur leben lässt."

Die Antwort des Drachen war: "Du täuschst dich, roter Fuchs. Nicht alle von uns lieben Schätze, und ich am wenigsten. Alles was ich dafür möchte, dass ich dich leben lasse, ist dass du dich bei der Füchsin entschuldigst."

Darauf sagt der Fuchs: "Dann bist du kein Drache. Alle Drachen lieben Schätze, und die Liebe zu Schätzen ist für Drachen essentiell. Ich kann dich nicht als Drachen anerkennen."

Da stieß der Drache einen Feuerstrahl aus und verbrannte den roten Fuchs. Dieser rollte sich am Boden, um das Feuer zu löschen. Nachdem sie dies einige Zeit beobachtet hatten, gingen der Drache und die Füchsin weg. Dabei sagte der Drache: "Vielleicht wirst du eines Tages verstehen, dass es mehr Dinge in der Welt gibt als das was du gesehen oder wovon du gehört oder was du dir vorstellen kannst. Vielleicht wirst du eines Tages erkennen, dass ein Drache ein Drache ist, egal wie sehr du es bestreitest."

Mystische Wesen oder Mischwesen

Mischwesen oder auch Chimären (nach Chimära, einem Mischwesen der griechischen Mythologie) sind fiktive Lebewesen, die sich aus Teilen von zwei oder mehreren Lebewesen zusammensetzen.

Schon bei den ältesten Skulpturen, Zeichnungen und Felsritzungen der Menschheit kamen nicht nur Darstellungen von

Tieren und Menschen, sondern auch von anthropomorphen Mischwesen aus Kombinationen von Mensch und Tier vor. Diese Darstellungsform hält bis in die ägyptische Hochkultur an, in der die Götter als Humanoide mit Tierköpfen dargestellt wurden.

Im archäologischen Sprachgebrauch werden abweichend vom allgemeinen Sprachgebrauch als „Monster" Mischwesen mit Tierkörpern und Tierköpfen (z. B. Greif, Mantikor oder Drachen) bezeichnet, zumeist aber Tierkörper mit menschlichen Köpfen wie die oder der Sphinx (Menschenkopf und Löwenkörper), Zentauren (Menschenoberkörper und Pferdeleib) oder Meerjungfrauen (Frauenoberkörper und Fischunterleib).

Den Gegensatz bildet der Begriff „Dämon", der ein theriokephales (tierköpfiges) Mischwesen mit mindestens menschlichen Beinen bezeichnet, so z. B. den Ziegendämon.

-Info von Wikipedia-

Aido Hwedo (Afrika und Haiti)

Aido-Hwedo ist eine riesige Regenbogenschlange, in dessem Mund der westafrikanische Schöpfergott Nana-Buluku um die Welt reiste. Jedesmal wenn die beiden sich von der Reise ausruhen, formt die Schlange Berge und Täler. Und die Schlangenspuren werden zu Flüssen und Seen. Da die Schlange keine Hitze verträgt, erschuf der Schöpfergott die Ozeane, damit die Regenbogenschlange sich abkühlen kann. So entstehen bei jedem abkühlen, Erdbeben. Die Schlange hat auch großen Hunger und isst gerne Eisen aus der Erde. Bekommt sie nichts zu essen, dann beißt sie sich in den eigenen Schwanz und die Erde rutscht in die Ozeane. Nana-Buluku befürchtete falls das Ende der Welt käme und die Schlange ihren Schwanz frisst, die Erde ihren Halt verliert und die Welt unter ihrem Gewicht zusammenbricht. Deshalb schlug Nana-Buluku ihr vor, die Welt auf ein rollendes Band zu legen.

Asanbosam

Asanbosame sind Fabelwesen, die Vampiren gleichen. Die im Süden Ghanas lebenden Aschanti, sowie einige Stämme an der Côte d'Ivoire (Elfenbeinküste) und in Togo, berichten von diesen Kreaturen. Ein Asanbosam sähe schon menschenähnlich aus. Es soll bei ihnen Männer, Frauen und Kinder geben, die aber alle Zähne aus Eisen, Beine mit hakenartigen Fortsätzen und sechs Arme haben (soweit zur Menschenähnlichkeit). Sie sollen im Urwald hausen, in den Ästen baumeln und jeden anfallen, der an ihrem Baum vorbeikommt.

So könnte also jeder Wanderer Opfer dieses Vampirs werden. Auch Schlafende können diesen Geschöpfen zum Opfer fallen, denn es saugt gern Blut aus dem Daumen ruhender Menschen. (Bevor man sich also zum Schlafen hinlegt, erst den Baum checken!)

Es gibt drei überlieferte Taktiken, wie diese Wesen angreifen.

Die erste Taktik: Sie lassen sich im richtigen Moment auf ihr Opfer fallen. Dann rammen sie ihre Eisenzähne in die überwältigte Beute und saugen es restlos aus.

Die zweite Taktik ist dagegen genau umgedreht. Mit den Händen hängt dieses Biest an einem Ast und zieht seine Beute mit den hakenartigen Beinen hinauf.

Dabei kommt auch der schlangenartige Schwanz ins Spiel, der die Opfer ablenken und in eine andere Richtung blicken lassen soll. Die am wenigsten verbreitete Vorgehensweise bestehe darin, dass der Asanbosam die Beine in den Hals seines Opfers ramme und es auf diese Art aussaugt. Wofür braucht es dann aber ie Eisenzähne?

Mhm, welche Taktik wird wohl tatsächlich angewendet? Muss ich das wirklich wissen? Nein, ich glaube nicht.

Aswang

Ein Aswang (oder Asuwang) ist ein Ghul, ein leichenfressendes Wesen, der philippinischen Mythologie. In anderen Gebieten ist der Aswang eine vampirähnliche Kreatur, die mit ihrer langen, dünnen und hohlen Zunge die Babys im Mutterleib einer schlafenden Schwangeren aussaugt. Der Mythos des Aswang ist besonders in den Regionen der westlichen Visayas verbreitet. Zudem wird erzählt, dass diese Wesen gerne kleine Kinder verspeisen sollen. Die bevorzugten Körperteile sind dabei die Leber und das Herz. Einige Wesensmerkmale und Eigenschaften des Aswang variieren von Volksgruppe zu Volksgruppe. Sie leben dem Vernehmen nach üblicherweise in der Nähe von Bergen und halten sich von Städten fern. Sie besitzen tagsüber ein menschliches Erscheinungsbild und können dem männlichen oder weiblichen Geschlecht angehören, wobei sie in den meisten Gebieten vornehmlich als Frauen auftreten.

Gestalt und Eigenschaften:

Ein Aswang ist am Tag ein normales Mitglied der Gesellschaft, das als Metzger, Bestatter oder Totengräber einer regelmäßigen Arbeit nachgeht, dessen Tätigkeit jedoch in Zusammenhang mit totem Fleisch steht. In den meisten Regionen taucht ein Aswang jedoch in weiblicher Gestalt auf. Das Markenzeichen oder die Besonderheit eines Aswangs, das ihn von anderen mythologischen Gestalten der Philippinen unterscheidet, ist seine Neigung, den gestohlenen Kadaver verschwinden zu lassen, indem er in den Stamm einer Bananenstaude das Abbild des Kadavers einritzt. Aswangs haben in ihrer menschlichen Gestalt ein zeitloses Erscheinungsbild, sie zeigen ein ruhiges, scheues und eigentümliches Verhalten. Üblicherweise streift der Aswang in der Dunkelheit umher und sucht nach einer Möglichkeit, in Häuser zu gelangen, in denen ein Leichnam aufgebahrt ist, da er dessen toten Körper zu stehlen versucht. In anderen Geschichten saugen Aswangs das Blut ungeborener Kinder aus dem Uterus der schlafenden Mutter.

Nach einer solchen Mahlzeit ist der Bauch des Ungeheuers so dick, wie der einer Hochschwangeren. Gleichsam populär ist der Glaube, ein Aswang könne den Schatten eines Menschen auflecken, woraufhin der Betroffene stirbt.

Sie können durch zwei Zeichen von normalen Menschen unterschieden werden. Zum einen besitzen sie blutunterlaufene Augen, was die nächtelange Suche nach Opfern mit sich bringt. Zum anderen erscheint die Bildreflexion, die man in seinen Augen erblickt, angeblich auf dem Kopf stehend. Laut der Überlieferungen verfügt der Aswang über die Möglichkeit, sich von einem Menschen in ein Tier und zurück zu verwandeln.

Aswangs haben die Fähigkeit, die Gestalt anderer Tiere annehmen zu können, wie Hunde, Katzen, Fledermäuse und Schlangen. Ein Aswang kann sich weiterhin in ein Schwein oder einen schwarzen Vogel verwandeln. Während ihrer nächtlichen Aktivitäten sind ihre Füße angeblich nach hinten gerichtet und ihre Zehnägel stehen ab.

Baobhan-Sith

Baobhan-Sith bedeutet in etwa "verführerische Vampirin". Sie soll, der Sage nach, hübschen Jünglingen den Tod bringen. Sie tritt in der Gestalt eines wunderschönen, hauptsächlich in grün gekleideten Mädchens, auf und erweckt durch ihre unschuldiges Aussehen keinerlei Argwohn. Doch kaum haben die jungen Männer sich von ihrer Schönheit blenden lassen und sich ihr genähert, saugt sie ihre Opfer bis zum letzten Blutstropfen aus.

Die Farbe ihres Kleides weist sowohl auf ihre Verbundenheit mit dem Wald und den darin umherziehenden Naturgeistern hin, als auch auf Tod und Verführung, da die Farbe Grün in Verbindung mit schönen Frauen von jeher als geheimnisvoll faszinierend und Unheil bringend zugleich galt.

Eine der vielen Legenden, die sich um die Baobhan-sith ranken, erzählt von vier Jägern, die in einer Waldlichtung übernachteten.

Da es kalt war, versuchten sie sich durch Gesang und Tanz aufzuwärmen. Bald tauchten vier zauberhaft schöne Mädchen mit gelockten Haaren und grünen Kleidern aus dem Wald auf, um den Jägern Gesellschaft zu leisten. Diese reagierten ausgesprochen erfreut. Bis auf einen, dem die Sache unheimlich war.

Er verzichtete darauf, mit den Mädchen zu tanzen und übernachtete an einem weiter entfernt liegenden Lagerplatz. Als er am nächsten Morgen zurückkam, fand er seine Kamera-den bleich und tot daliegen. Die Baobhan-Sith hatten sie bis auf den letzten Blutstropfen ausgesaugt.

Der Basilisk - Tödliches, schlangenhaftes Ungeheuer

Der Basilisk ist ein viel beschriebenes Geschöpf. In vielen Überlieferungen wird er als gelbe Schlange oder als Mischwesen aus Schlange, Hahn und Kröte oder auch als geflügelter Drache der einen Hahnenkopf hat. Er wird auch als der "König der Schlangen" bezeichnet.

Das Ei des Basilisken

Die verschiedenen, überlieferten Arten der Entstehung eines Basilisken ähneln sich, im Gegensatz zu den Gestalten, schon mehr. Allen gemein ist, dass ein Basilisk aus einem Ei schlüpft, das von einem Hahn gelegt und von einer Schlange, einer Kröte oder in einem Misthaufen ausgebrütet wird. Teilweise wird behauptet der Hahn müsse 7 Jahre alt sein und das Ei müsse 9 Jahre lang ausgebrütet werden.

Die Waffen eines Basilisken

Der so entstehende Basilisk hat einen tödlichen Atem, der entweder aus Feuer oder Gift bestand. Außerdem soll das Gift, welches der Basilisk absondert, so stark sein, dass selbst Waffen damit aufgelöst werden können. Die gefährlichste Eigenschaft eines Basilisken ist aber wohl sein Blick der jedes Wesen, selbst andere Basilisken, tötet oder versteinert. Bei einer Jagd auf ein solches Wesen bietet es sich also immer an einen Spiegel mit sich zu führen. Es werden allerdings auch natürliche Feinde Basilisken genannt. Da wäre zum einen ein Hahn und zum anderen eine bestimmte Wieselart. In der Alchemie war Asche eines Basilisken sehr beliebt, um daraus Gegenmittel gegen andere giftige Tiere herzustellen.

Der Basilisk in der Symbolik

Der Basilisk symbolisierte den Tod oder den Teufel. Aber auch bei den Todsünden hat er seinen Platz und wird mit Wollust, Neid und Hochmut gleichgesetzt. In der Alchemie steht dieses Ungeheuer für den oft gesuchten Stein der Weisen.

Der Greif

Eines der begehrtesten und am meisten genutzte Wappentier ist der Greif. Die Gestalt eines Greifen ist eine Mischung aus einem Löwen und einem Adler, wobei der Rumpf des Körpers dem des Löwen entspricht und der Vorderkörper nebst Kopf dem eines Adlers. Er besitzt auch Flügel, die dem eines Adlers gleichen. Die Beine werden unterschiedlich dargestellt. Mal sind alle vier Beine wie die eines Löwen, mal sind zwei Beine dem eines Adlers gleich. Der Name „Greif" wurde vom griechischen Wort „Grýps" abgeleitet.

Der Greif ist ein Sinnbild für viele Dinge

Als Sinnbild verkörpert er sowohl Stärke als auch Wachsamkeit. Im Altertum wird ihm außerdem große Klugheit nachgesagt und wird sogar teilweise als Sinnbild für Christus verwendet. Die Verbindung von Stärke und Wachsamkeit wurde natürlich auch in den Zusammenhang mit Macht und Herrschaft gesehen, was dem Greif seinen Platz auf vielen Wappen sicherte. Wie Drachen soll er große Schätze bewachen.

Es wird behauptet, dass der Besitzer einer Greifenfeder in der Lage sei zu zaubern. Wie bei vielen anderen Fabelwesen schrieb man auch einigen Körperteilen des Greifen heilende Kräfte zu, wie z.B. die Heilung von Blindheit.

In vielen Kulturen kennt man den Greif

So zahlreich die Kulturen sind, in denen der Greif vorkommt, so zahlreich sind auch die Geschichten über ihn und die Erscheinungsformen. Löwe-Adler ist die uns geläufige. Er wird außerdem als Mischwesen zwischen Pferd und Adler und manchmal sogar als Mischwesen zwischen, Mensch und Vogel, beschrieben. In wieder anderen Kulturen ist er so riesig, dass seine Flügel die Sonne verdunkeln und er in der Lage sei Elefanten fortzutragen und Ochsen mit einem einzigen Fußtritt töten könne. In diesen Kulturen war er als „Vogel Rock" bekannt. Wer weiß vielleicht bedeuten diese weltweit verbreiteten Geschichten, dass es wirklich ein derartiges Tier gibt oder zumindest, dass es mal sehr große Vögel gab, die dann in den Geschichten zu dem Greif wurden, den wir heute noch kennen.

Der Werwolf

Der Werwolf ist ein weiteres, bis heute sehr bekanntes, mystisches Wesen. Seit Beginn der Erzählungen über Werwölfe wird gesagt, es handelt sich um Menschen, die sich in der Nacht oder auch nur bei Vollmond in einen Wolf verwandeln bzw. zwar einen menschlichen Körper mit Wolfs-Bestandteilen, wie z.B. Fell, Klauen und Reißzähne. Menschen, die so ein Dasein fristen müssen, verwandeln sich im Laufe der Zeit immer häufiger bis sie schließlich für immer oder zumindest für eine sehr lange Zeit permanent als Wolf leben müssen.

In ihrer Wolfsgestalt können die Werwölfe Familienangehörige und Freunde nicht erkennen und töten diese sogar. Am Morgen danach können sie sich nicht an die Taten während der Nacht erinnern. Die Erinnerungen kommen teilweise in Form von Träumen wieder. Sofern dieser Fluch nicht rechtzeitig erkannt und behandelt wird hilft als einziger Ausweg nur noch der Tot, um dieser Qual zu entgehen.

Der Werwolf wird auch Mannwolf genannt

Der Begriff Werwolf ist eine Kombination aus dem germanischen Wort für Mann, nämlich „wer", und „Wolf". Er wurde daher auch Mannwolf genannt. Darüber wie ein Mensch zum Wolf wird gibt es viele Erzählungen. Es wird behauptet, dass diese Menschen einen Pakt mit dem Teufel eingingen und dadurch die Fähigkeit erhielten, sich in einen Wolf zu verwandeln. Andere behaupten es würde durch das Erbgut weitergegeben werden oder durch Verletzungen durch einen Werwolf hervorgerufen worden sein.

Bei letzterem ist es allerdings nicht klar, ob nicht vielleicht doch eher die heutige Filmindustrie für diesen Glauben der Verbreitungsart verantwortlich gemacht werden kann. Ebenso wie die Tatsache, dass Werwölfe nur durch Silber getötet werden können.

Ursprung des Glaubens an den Werwolf

Der Glaube an den Werwolf könnte vielleicht dadurch entstanden sein, dass in früheren Zeiten Menschen geboren wurden, die durch eine seltene Erbkrankheit eine starke Körperbehaarung aufwiesen. Diese Wolfsmenschen wurden stark gefürchtet, was natürlich durch starken Aberglauben, der durch die Gotteshäuser geschürt wurde, noch verstärkt wurde.

Oft wurden sogar Prozesse gegen Menschen geführt, denen man vor warf ein Werwolf zu sein, ähnlich wie es mit vermeintlichen Hexen gemacht wurde. Die Figur des Wolfsmenschen ist also gar nicht so weit hergeholt nur dass sich diese nicht nur bei Vollmond oder allgemein in der Nacht in diese verwandeln, sondern permanent durch eine Krankheit zu einem wolfsähnlichen Aussehen verdammt sind. Oder gibt es doch irgendwo auf der Welt doch noch Menschen, die sich des Nachts in reißende Werwölfe verwandeln und ihre Beute erbarmungslos jagen? Wer kann das schon mit Gewissheit bestätigen oder leugnen?

Die Dämonen

Ursprünglich galt ein Dämon als Geist, Schicksal oder warnende Stimme des Gewissens, was dem Begriff eine eher neutrale, bis positive Bedeutung zuwies. In einigen Kulturen standen sich gute und böse Dämonen in Schlachten gegenüber, wie im christlichen Glauben Engel gegen Dämonen kämpfen. Man könnte also auch Engel als gute Dämonen bezeichnen. Die ausschließlich negative Bedeutung könnte also von den Lehren des Christentums herrühren. In den Vorstellungen der Menschen gibt es viele Arten von Dämonen, die alle unterschiedliche Eigenschaften und Verhaltensweisen haben, um die Menschen vom rechten Weg abzubringen oder Nutzen aus den Menschen ziehen. Im allgemeinen Verständnis sind Dämonen vom Teufel entsendete geflügelte Kreaturen, die die Menschen ins Chaos stürzen und Verderben bringen sollen.

Sukkubus und Inkubus - Die Paarungsdämonen

Zwei spezielle Arten von Dämonen sind der Sukkubus und der Inkubus. Es handelt sich dabei um eine weibliche Art und eine männliche Art von Dämonen, die nachts die Menschen heimsuchen, um sie zu verführen. Ihr Aussehen wird als abscheulich bezeichnet weshalb sie sich nachts mit Menschen vereinen müssen, damit sie ihr Opfer nicht verschrecken. Wird eine Frau von einem Inkubus geschwängert, so können daraus missgebildete oder magisch begabte Kinder entstehen. Diese Vorgehensweise ähnelt sehr anderen Erzählungen nach denen Engel ebenfalls Menschen im Schlaf heimsuchten, um sich mit Ihnen zu paaren, natürlich in diesem Fall aus guten Gründen. Es macht aber deutlich, dass Engel und Dämonen sehr viel gemeinsam haben.

Mensch-Tier-Wesen - Die andere Art von Dämonen

In den Mythologien dieser Welt tauchen immer wieder auch Wesen auf, die einen menschlichen Körper haben und menschliches Verhalten zeigen aber den Kopf eines Tieres haben. Sie werden sowohl als Monster und Scheusale bezeichnet als auch stellenweise als Dämonen, die mit mehr oder weniger starken Kräften ausgestattet sind. Eines der berühmtesten Mischwesen ist wohl der Minotaurus von der Insel Kreta, wobei dieser eigentlich nicht als Dämon bezeichnet wird.

Die Hexen

Der Glaube an Hexen ist ziemlich alt und weit verbreitet. Vom fernen Osten bis Europa ziehen sich die Geschichten und Erzählungen über sie in unterschiedlichen Varianten und Ausprägungen. Sie werden sogar schon in der Bibel erwähnt.

Gute Hexen und böse Hexen

Eine Hexe, hat dem Glauben nach magische Fähigkeiten. Diese setzt sie sowohl zum Guten als auch zum Bösen ein, wobei meistens gesagt wird, dass sie ihre Fähigkeiten für schlechte Taten benutzt. Wenn eine Hexe gute Taten vollbringt, dann vor allem durch die Heilung von Krankheiten mit speziellen Kräutern oder auch die Aufhebung von Flüchen. Aber auch der umgekehrte Fall war möglich, denn man sagt ihnen auch nach, sie würden Krankheiten hervorrufen und Flüche verhängen. Hexen, die böse Taten vollführen sollen mit dem Teufel einen Pakt oder sogar eine Beziehung mit ihm haben. Die Beschreibungen über das Aussehen einer Hexe gehen von einer wunderschönen, jungen Frau bis zu einer alten und weniger schönen Frau. Sie sind sterblich erreichen aber dank ihrer Fähigkeiten ein sehr hohes Alter. Eher selten ist dagegen, dass man Männer als Hexen bzw. Hexer hinstellt. Im christlichen Glauben steht zweifelsfrei fest, dass Frauen schwach sein und sich so leicht vom Teufel verführen ließen und so zu Hexen werden würden.

Die Hexenverfolgung

Daher wurden vor allem Frauen ab dem späten Mittelalter verfolgt und unter dem Vorwurf der Hexerei mit schweren Folterungen zu Geständnissen bewegt, dass sie Hexen sein, um sie anschließend auf dem Scheiterhaufen zu verbrennen. Die so hingerichteten Frauen waren selbstverständlich unschuldig, was die Hexerei betraf und so fanden viele von ihnen ein grausames Ende. Dieses Schicksal ereilte vor allem Außenseiter, die man mit Vorliebe als Sündenbock nutze, um sich so ihrer zu entledigen. Ein weiterer Grund eine Frau der Hexerei zu beschuldigen war, wenn sie die ihr zugedachte Rolle in der Gesellschaft nicht erfüllte und zu fortschrittlich für das damalige Denken war. Es wurden auch Merkmale festgelegt, an denen erkannt werden konnte, ob es sich bei einer Person um eine Hexe handelte. Darunter fielen der Hexenflug, der Pakt mit dem Teufel, Geschlechtsverkehr mit selbigem bzw. einem Dämonen und der Schadenszauber. Anfangs von den Kirchen mit nicht großer Beachtung bedacht, rückten die Hexen aufgrund der Zuwendung zum Teufel ins Visier der kirchlichen Ermittler, da sie eine geistliche Gefahr darstellten. Im Laufe der Zeit fand die Verfolgung von Hexen allerdings immer mehr Gegner, so dass sie aus Europa, der westlichen und der östlichen Welt verschwand. Die Aufklärung der Menschen und die somit einhergehende Beseitigung des Aberglaubens tat sein Übriges dazu.

Hexen heutzutage

Heutzutage gibt es Menschen, die sich ganz offiziell als Hexen bezeichnen. Dies gilt vor allem für die Anhänger der Wicca-Religion und die der Celtic Witches. Die Anhänger dieser Religionen zeichnen sich vor allem damit aus, ein großes Wissen über Heilkräuter und den alten vorchristlichen Religionen aus.

Die Riesen

Erzählungen über Riesen sind wohl so alt wie die Menschheit selbst und sind in allen Kulturen auf der Welt fest verankert. So zahlreich und unterschiedlich die Geschichten über Riesen dadurch auch sind haben sie alle gemeinsam, dass es sich bei Riesen um übergroße Wesen in Menschengestalt handelt. Wobei auch hier die Größen auch von Volk zu Volk unterschiedlich sind. Während bei manchen Kulturen die Riesen lediglich nur ein paar Meter groß sind, reichen sie in anderen schon mal an die Größe eines Berges heran. Teilweise soll es auch Mischvölker von Riesen und Menschen gegeben haben.

Riesen vollbrachten gute und böse Taten

Auch was die Intelligenz und Fähigkeiten der Riesen angeht gibt es viele Erzählungen. Einige beschreiben diese Wesen als dumm und in anderen wird über Riesen berichtet, die eine große Weisheit besaßen. Oft wird auch behauptet, dass sie magische Fähigkeiten hätten, die Sie meist zum bösen eingesetzt haben sollen, sei es gegen die Menschen oder sogar gegen Götter, mit denen die Riesen im ständigen Streit lagen und immer noch liegen. Glaubt man den germanischen Mythologien wird das Ende der Götter und der Welt, auch als Ragnarök bekannt, durch eine gewaltige Schlacht zwischen Göttern und Riesen herbeigeführt. Aber sie verursachten auch schon im kleineren Rahmen enorme Schäden indem sie die Felder der Menschen zertrampelten oder auch ihr Vieh stahlen oder gleich vor Ort verzehrten. Naturgewalten, die den Menschen zusetzten, wurden auch in einigen Gebieten den Riesen zugeschrieben.

Der bekannte Riese Rübezahl

Einer der bekanntesten Riesen hierzulande dürfte wohl Rübezahl aus dem Riesengebirge sein. Er ist der gute Geist des Berges und vereint sowohl negative als auch positive Aspekte. Denn wer gut und freundlich war, dem half er und lehrte auch viele Dinge und brachte sogar Geschenke. Diejenigen, die ihn verspotteten, mussten mit einer fürchterlichen Rache rechnen. Wie auch immer Riesen dargestellt wurden sie sind seit je her die Begleiter der Menschheit, sei es im Guten oder Bösen.

Drachen - Ein Mythos so alt wie die Menschheit

Die Mythen von Drachen sind seit je her in vielen Kulturen auf der Welt vorhanden und überliefert worden. Ihre Erscheinung wird meistens als reptilienartig beschrieben mit einer schuppigen Haut, einem schlangen-ähnlichen Schwanz und Krallenfüßen. Es wird außerdem gesagt, dass sie fliegen und Feuer speien können.

Drachen - Ungeheuer oder Wohltäter?

Von christlicher Seite her gelten Drachen als die Verkörperung des Bösen und des Chaos, was durch einen tugendhaften Helden beseitigt werden muss. Diese Drachenbekämpfungen dienten auch der Steigerung des Ansehens der Kirche, da ein Held einen Drachen nur bekämpfen konnte, wenn er Gottes Beistand hatte. Neben dieser Ansicht wird auch gesagt, dass Drachen zurückgezogen in Höhlen und Menschen nur angreifen, wenn diese zu nah an die Höhle kommen. Zudem wird gesagt, dass sie in ihren Höhlen große Schätze bewachen. Im asiatischen Raum dagegen werden Drachen ausschließlich geehrt, gelten als weise und stehen für Glück. Hier gelten Drachentöter als Leute, die Unheil verursachen wollen. In den verschiedenen Kulturen gibt es für Drachen verschiedene Bezeichnungen. Im germanischen Raum wird er als Lindwurm bezeichnet, im südenglischen als Knucker und im vorderasiatischen Bereich Leviathan, um nur einige zu nennen.

Die Magie der Drachen

Neben der Tatsache, dass Drachen Zerstörungen anrichten wurde sie außerdem gejagt, weil bestimmte ihrer Körperteile als magisch galten. Wenn man im Blut eines Drachen badet macht es immun gegen Verletzungen durch Angriffe. Das verzehren des Herzens befähigt Tiere zu verstehen. Die Aussaat von Drachenzähnen lässt eine wilde Armee heranwachsen und die Drachenzunge verbessert die Redegewandtheit. Zudem wurden die Schuppen von Drachen gern von Drachentötern genutzt, weil diese Schutz gegen das Drachenfeuer bieten sollten. Nach und nach wurden die Drachen laut der Überlieferungen ausgerottet. Teilweise wird behauptet, dass einige Drachen in entlegenen Gebieten überlebt haben sollen und dort bis heute existieren.

Jiang Shi

Der Jiang Shi („Starrer Leichnam", „Untoter", „Wiedergänger"), ist ein fiktives Wesen aus der chinesischen Mythologie und beschreibt einen Untoten. Aus der japanischen Mythologie ist ein vergleichbares Wesen bekannt, das Kyonshī („Wiedergänger", „Vampir") heißt. Da die meisten Jiang Shi gemäß der Folklore kurz nach Eintritt des Todes entstehen, sieht der Verstorbene auch nach Tagen noch immer frisch, fast wie lediglich schlafend aus. In anderen Fällen soll der Jiang Shi erst einige Zeit nach Todeseintritt entstehen, sodass der Körper faulig wirkt und noch während des wieder aufstehen verrottet. Einen Jiang Shi soll man daran erkennen können, dass seine Haare weiß werden und trotz des Todes weiterwachsen, bis sie den Leichnam völlig bedecken. Die Fingernägel sollen sich schwärzlich verfärben, ebenfalls weiterwachsen und dabei ungewöhnlich lang und scharfkantig werden. Hintergrund des Glaubens an Untote ist die religiöse Vorstellung im traditionellen Daoismus, dass der Mensch zwei Seelen besitzt: eine reine und gutartige Seele und eine dunkle, unruhige Seele.

Stirbt ein Mensch, steigt die gutartige Seele in den Himmel auf, während die dunkle Seele ins Jenseits übergeht oder verlischt. In seltenen Fällen aber soll die dunkle Seele so stark sein, dass sie nach Verlassen des Körpers ein Eigenleben entwickeln und die Körper soeben verstorbener Menschen in Besitz nehmen kann. Schon in den Liaozhai Zhiyi, einer Kurzgeschichtensammlung des 17. Jahrhunderts, werden Jiang Shi erwähnt, obwohl die Wesen, die vor allem der Folklore entstammen, wesentlich älter sein dürften. Der Folklore zu folge entstehen Jiang Shi durch das Ausbleiben oder durch absichtliches Unterlassen einer würdevollen Bestattung. Der unruhige Geist des Verstorbenen findet dadurch den Weg ins Jenseits nicht und kehrt zum verwesenden Körper zurück, getrieben von dem Wunsch, in seine Heimat zurückzukehren und dort vielleicht endlich bestattet und erlöst zu werden. Manchmal kann der Grund auch Rachsucht sein, besonders bei Mord- oder Unglücksopfern. Der nun bösartige Geist benutzt seinen ursprünglichen Körper, um seine ehemaligen Peiniger oder Mörder in den Tod zu treiben.

Da aber meist bereits die Leichenstarre eingesetzt hat, kann sich der Jiang Shi nur mühsam (meist ruckartig oder hüpfend) fortbewegen. Eine andere Art der Entstehung eines Jiang Shi ist die durch schwarze Magie. Durch schwarzmagische Siegel oder Bannzettel kann der Beschwörer den Leichnam wie eine Marionette steuern und bestimmte, meist kriminelle oder gefährliche Aufträge erledigen lassen. Auf dem Bannzettel (der meistens an der Stirn des Toten haftet) steht für gewöhnlich der Name des Beschwörers sowie der auszuführende Befehl. Eine dritte Möglichkeit soll darin bestehen, einen herbeigerufenen, niederen Dämon in den Leichnam zu bannen. Jiang Shi, werden oft mit Vampiren verglichen, obgleich sie kein Blut trinken. Vielmehr entziehen sie ihren Opfern die Lebenskraft (Qi), da die

Eigenenergie eines Jiang Shi begrenzt und rasch aufgebraucht ist. Ein beliebtes Gerücht besagt, dass man einem Jiang Shi bei einem Angriff gesegnete Reiskörner oder glänzende Münzen vor die Füße werfen solle - da ein Untoter davon besessen sei, alle glänzenden, kleinen Gegenstände zählen zu müssen, werde der Untote sofort damit beginnen, die Reiskörner oder Münzen nacheinander einzeln aufzulesen. Da außerdem manche Jiang Shi angeblich blind seien, würden sie ihre Opfer durch deren Atem aufspüren. Wenn das Opfer aber lange genug die Luft anhalte, würde der Jiang Shi schließlich die Verfolgung aufgeben und weiterziehen. Eine Vernichtung des Untoten soll nur durch Exorzismus oder heiliges Feuer möglich sein.

Lamien

Die Lamien sollen nach einem Ungeheuer der griechischen Mythologie namens Lamia benannt worden sein. Sie sind im griechischen Volksglauben (bis heute) selbst auch dämonische, vampirähnliche Bestien.

Weitere Namen für sie sind Empusen, Mormolycien oder Striges. In die moderne Vampirliteratur ist das Lamien-Thema ebenfalls eingegangen. Sie sollen ständig begierig nach jungem menschlichem Blut sein.

Bevorzugt sind dabei zumeist hübsche, junge Männer, welche sie mit ihrer betörenden Schönheit blenden. Genauso können es aber auch hübsche, junge Männer sein, die zu den unsterblichen Lamien gehören.

Inwiefern die Figur der Lamien zur Entstehung des neuzeitlichen Vampirglaubens in Griechenland beigetragen hat, ist umstritten, da es sich bei ihnen um Dämonen, also nicht-menschliche Wesen handelte, während der Wrukolakas, der Vampir, ein Mensch war und in seinem Grab in einem Zwischendasein zwischen Leben und Tod verharrt.

Etymologisch soll das Wort Lamie vom griechischen Wort λαιμός (lämós) für Rachen, Kehle abstammen. Es wird aber auch eine Herkunft aus dem Arabischen lahama für zerfleischen, zerreißen vermutet.

Wrykólakas

Der Ausdruck Wrykólakas (griechisch βρυκόλακας auch Wrukólakas, Brukolák, maskulin.) bezeichnet im griechischen Volksglauben einen Vampir. Ursprünglich slawischer Herkunft bezeichnete er einen Werwolf. Nach bestimmten Vorstellungen verwandelte sich auch ein getöteter Werwolf in einen mächtigen Vampir, der dabei die Fangzähne, behaarten Handflächen und die glühenden Augen des Werwolfs übernimmt.

Der Wrykólakas klopfte nachts an die Haustür und rief die Bewohner beim Namen. Wenn er beim ersten Mal keine Antwort bekam, ging er vorbei, ohne Schaden anzurichten. Daher antwortete man in bestimmten Gebieten erst beim zweiten Mal auf Klopfen oder Rufen. Opfer des Wrykólakas wurden selbst zu Vampiren. Da ein solcher Blutsauger immer mächtiger wurde, wenn er ungehindert seinem Treiben nachgehen konnte, musste dem verdächtigen Leichnam so schnell wie möglich der Garaus gemacht werden. Traditionelle Methoden waren das allseits bekannte Pfählen, Enthaupten, Ausreißen des Herzens mit anschließendem Aufkochen in Essig und das Verbrennen des Leichnams.

Dabei wurden auch die von ihm befallenen Opfer wieder vom Fluch der untoten Existenz befreit. Im griechisch-orthodoxen Ritus war es üblich, nach 40 Tagen das Grab eines Verstorbenen zu öffnen und im Beisein des Priesters zu überprüfen, ob die Verwesung so weit fortgeschritten war, dass mit einer Rückkehr des Toten als Vampir nicht mehr zu rechnen war. Schien die Verwesung jedoch nicht eingesetzt zu haben, galt der Leichnam nach allgemeiner Überzeugung als vom Teufel besessen und musste daher vernichtet werden. Als unverweslich galt jeder Tote, der nicht erlöst werden konnte. Es wird häufig berichtet, dass die orthodoxe Kirche diesen Volksglauben ausgenutzt habe, um die Gläubigen vom Übertritt zum Islam abzuhalten.

Die Furcht, nicht erlöst werden zu können, beherrschte die Menschen auf dem Balkan.

Die merkwürdige Begriffsverwirrung ist bedingt durch die Übernahme des slawischen Wortes "vurkudlak", das übersetzt "Wolfspelz" bedeutet und auch bei den Serben und Makedoniern inzwischen die Bedeutung von "Vampir" angenommen hat, zuweilen aber auch den Werwolf bezeichnet. Hintergrund ist der europaweit verbreitete Volksglaube, dass ein Mensch, der zu Lebzeiten andere in Gestalt eines Werwolfs schädigte, unerkannt blieb und nicht bestraft wurde, nach seinem Tod als Vampir wiederkehren oder als Nachzehrer aus dem Grab heraus die Lebenden schädigen werde, wenn nicht entsprechende Maßnahmen zum Bannen oder Vernichten des Unholds ergriffen wurden.

Das ursprüngliche griechische Wort für Werwolf lautete "kallikántsaros", während der häufig in der Literatur gefundene Begriff "lykanthropos" (wörtlich: "Wolfsmensch") nur in der Gelehrtensprache, etwa bei den Medizinern, vorkam.

Weihnachten, Ostern, Brauchtum

Weihnachten, auch Weihnacht, Christfest oder Heiliger Christ genannt, ist das Fest der Geburt Jesu Christi. Festtag ist der 25. Dezember, der Christtag, auch Hochfest der Geburt des Herrn, dessen Feierlichkeiten am Vorabend, dem Heiligen Abend (auch Heiligabend, Heilige Nacht,

Christnacht, Weihnachtsabend), beginnen. Er ist in vielen Staaten ein gesetzlicher Feiertag. In Deutschland, Österreich, der Schweiz und vielen anderen Ländern kommt als zweiter Weihnachtsfeiertag der 26. Dezember hinzu, der auch als Stephanstag begangen wird.

Ein Brauch (von althochdeutsch bruh ‚Nutzen'; auch Usus, von lateinisch uti ‚gebrauchen') ist eine innerhalb einer Gemeinschaft entstandene, regelmäßig wiederkehrende, soziale Handlung von Menschen in festen, stark ritualisierten Formen. Bräuche sind Ausdruck der Tradition. Sie dienen ihrer Erhaltung und Weitergabe sowie dem inneren Zusammenhalt der Gruppe (Gruppenkohäsion).

Im Gegensatz zu Ritual, Ritus und Kult ist der Brauch weit weniger symbolhaft auf ein „höheres Ziel" gerichtet, obgleich sich viele Bräuche im Laufe des Kulturwandels aus kultischen Handlungen entwickelt haben.

-Info von Wikipedia-

Das Jahr in dem Weihnachten ausfiel

„Ich habe einfach keine Lust mehr", sagte der Weihnachtsmann zu Knecht Ruprecht. „Jedes Jahr rackern wir uns zu Weihnachten ab wie verrückt, und nichts ändert sich auf der Welt. Dieses Jahr bleiben wir hier am Nordpol und machen uns mit den Rentieren eine schöne Zeit."

Gesagt, getan. Die Weihnachtswichtel, die sonst immer die Geschenke einpackten, hingen von morgens bis abends in der Kantine rum, Knecht Ruprecht trainierte mit den Rentieren für das Alaskarennen, und der Weihnachtsmann saß tagelang vor der Glotze. Plötzlich war der Weihnachtstag gekommen, und alle hatten ein komisches Gefühl im Bauch, auch der Weihnachtsmann. Ihm war so unwohl, wie schon lange nicht mehr. Kurz entschlossen packte er Knecht Ruprecht am Kragen, setzte ihn hinten in den Rentierschlitten und fuhr zu den Menschen, um zu sehen, was sie ohne ihn an Weihnachten machten. Der Schlitten hielt in einer großen Stadt bei einem beliebten Weihnachtsmarkt an. Knecht Ruprecht ging zu einem Glühweinstand und fragte einen der Menschen dort, wie es denn so ginge.

„Ach Alter, Weihnachten ist auch nicht mehr das, was es mal war. Ich glaub ja nicht an das Zeug, aber wenigstens einmal im Jahr hatten wir früher doch immer einige Stunden, in denen wir uns auf uns selbst besinnen konnten. Der Anlass dazu ist doch egal. Schade, dass es dieses Jahr ausfällt."

Der Weihnachtsmann wachte aus seinem Schlummer auf, und sah auf dem Kalender, dass erst der 16. Dezember war. Schleunigst ging er an die Arbeit, um den dummen Traum zu vergessen.

Eine Krampusgeschichte

Irgendwo in Österreich im Paznauntale, den Ort nennt die Sage nicht, lebte ein unglückliches Ehepaar, das unter anderem auch ein Kind hatte, welches ihnen sehr viel Verdruss machte und durchaus nicht gehorchen wollte.

Oft drohte die Mutter dem Kinde: "Wenn du gar nicht folgsam sein willst, so übergebe ich dich ganz gewiss einmal dem Krampus!"

Aber die Drohungen nützten wenig oder gar nichts; das Kind blieb böswillig, halsstarrig und unfolgsam und schlug Mahnungen und Drohungen der Eltern in den Wind. Als nun der Sankt-Nikolaus-Tag herankam, welcher den guten Kindern schöne Geschenke bringt, da stellte sich am Vorabend desselben in der Stube, wo sich das ungeratene Kind mit den Eltern befand, ein furchtbar hässlicher Krampus ein, mit langen Hörnern und glühenden Augen.

Dieser fragte die Eltern mit hohler Stimme: "Darf ich das schlimme Kind da mitnehmen?" Die Eltern hatten zwar keinen Krampus bestellt, meinten aber, dass ein Nachbar sich den Spaß gemacht habe, das Kind zu erschrecken und auf bessere Bahn zu lenken, und sagten: "Ja!"

Der Krampus fragte zum zweiten Male: "Darf ich es wohl gewiss mitnehmen?" Und abermals erlaubten es die Eltern.

Nun fragte der Krampus zum dritten Male: "Und darf ich es im vollen Ernst mitnehmen?" Und die Gefragten bejahten es zum dritten Male. Der Krampus nahm es nun auf und trug es zur Türe hinaus.

Draußen hörte man von den Lüften herab einen herzzerreißenden Schrei vom Kinde und weiter nichts mehr. Wie die Eltern sich nun hinaus begaben, um nachzusehen, wohin der Krampus mit dem Kind gegangen sei, fand sich nirgends eine Spur, kein Tritt vor dem Hause, der frisch gefallene Schnee überdeckte alles rundherum rein und sauber, und das Kind war für immer verloren; der Krampus war kein Maskenscherz, es war der Böse. Die Mutter ist an Gewissensskrupeln sieh geworden und bald gestorben.

Die Weihnachtsfabel der Tiere

Die Tiere diskutierten einst über Weihnachten. Sie stritten, was wohl die Hauptsache an Weihnachten sei.

"Na klar, Gänsebraten", sagte der Fuchs. "Was wäre Weihnachten ohne Gänsebraten?"

"Schnee", sagte der Eisbär. "Viel Schnee." Und er schwärmte verzückt von der weißen Weihnacht.

Das Reh sagte "Ich brauche aber einen Tannenbaum, sonst kann ich nicht Weihnachten feiern."

"Aber nicht so viele Kerzen", heulte die Eule." Schön schummrig und gemütlich muss es sein. Stimmung ist die Hauptsache."

"Aber mein neues Kleid muss man sehen", sagte der Pfau. "Wenn ich kein neues Kleid kriege, ist für mich kein Weihnachten."

"Und Schmuck!" krächzte die Elster. "Jedes Weihnachten bekomme ich was: einen Ring, ein Armband. Oder eine Brosche oder eine Kette. Das ist für mich das Allerschönste an Weihnachten."

"Na, aber bitte den Stollen nicht vergessen", brummte der Bär, "das ist doch die Hauptsache. Wenn es den nicht gibt und all die süßen Sachen, verzichte ich auf Weihnachten."
"Mach es wie ich:" sagte der Dachs, "pennen, pennen,

pennen. Das ist das Wahre. Weihnachten heißt für mich: Mal richtig pennen."

"Und saufen", ergänzte der Ochse. "Mal richtig einen saufen - und dann pennen."

Aber da schrie er "aua", denn der Esel hatte ihm einen gewaltigen Tritt versetzt.

"Du Ochse du, denkst du denn nicht an das Kind?" Da senkte der Ochse beschämt den Kopf und sagte "Das Kind. Jaja, das Kind - das ist doch die Hauptsache. Übrigens", fragte er dann den Esel, "wissen das eigentlich die Menschen?"

Der Ursprung der Fabel:

Die Bauern bezogen Tiere und Bäume in das Brauchtum mit ein. Am Heiligen Abend ist es im ländlichen Bereich der Brauch, nach der Christmette durch den Stall zu gehen. Tiere bekommen dann Leckerbissen (Äpfel, Semmeln, Nüsse etc.). Der Landmann sprach mit den Tieren und Bäumen an diesem Abend und bekam auch oft Antwort. Heute geht oft der Bauer am Heiligen Abend durch Haus und Stall, beräuchert (mit Weihrauch) und besprengt (mit Weihwasser) alle seine Tiere. Im 6. Jhdt schon war man der Überzeugung, dass die Tiere am Heiligen Abend sprechen könnten. Es hingt damit zusammen, dass ja im Stall zu Bethlehem die Tiere das Jesuskind besuchten und ihm Gaben überbrachten und mit ihm sprachen.

Nikolaus und die Seeleute – Eine Legende

Zu der Zeit, als Nikolaus Bischof von Myra war, fuhren einmal Seeleute mit ihrem Schiff über das Mittelmeer. Da brach ein furchtbarer Sturm los. Der Himmel wurde finster und die Wellen tobten. Der Wind packte das Segel und riss es in viele Stücke. Schließlich zerbrach auch der Mast.

Die Wellen schlugen über den Bootsrand und das Schiff drohte zu sinken. Da stand plötzlich ein fremder Mann am Steuer. Er nickte den Seeleuten freundlich und beruhigend zu und lenkte das Schiff durch die Fluten. So erreichten sie trotz des furchtbaren Unwetters sicher den Hafen. Als sie aber dort ausgestiegen waren, war der furchtlose und freundliche Helfer verschwunden.

Einige Zeit später besuchten einige der Seeleute die Kirche von Myra. Dort sahen sie ihren Retter wieder. Es war der Bischof Nikolaus, der in der Nacht ihr Schiff durch das Unwetter gelenkt und sie gerettet hatte. Sie dankten ihm von ganzem Herzen.

Doch der Bischof wollte keinen Dank. Er erinnerte sie an die Geschichte von Jesus, dem sogar der Sturm auf dem See Genezareth gehorcht hatte. Noch heute wird Bischof Nikolaus als der Schutzpatron der Seeleute verehrt.

Legende von den ersten Weihnachtsplätzchen

Die Hirten waren gerade dabei, ihre Brote zu backen, da sahen sie den Weihnachtsstern am winterlichen Himmel leuchten. Sie machten sich mit ihren Herden sofort auf den Weg nach Bethlehem, wohin sie der Stern führte. Bei aller Aufregung und Freude über den Stern und das Kind im Stall hatten die Hirten ihre Brote im Backofen vergessen. Als sie nach Hause zurückkehrten, strömte ihnen ein wunderbarer Duft entgegen. Sie konnten nicht glauben, was geschehen war. Ihre Brote, die nach der langen Zeit im Backofen eigentlich hätten verbrannt sein müssen, waren zwar sehr dunkel geworden, schmeckten aber himmlisch süß. Allen Freunden und Bekannten gaben sie eine Kostprobe dieses besonderen Brotes und brachen es in viele kleine Stückchen, damit jeder davon kosten konnte. Als Erinnerung an dieses Wunder begann man zur Heiligen Nacht kleine würzige Himmelskuchen zu backen, aus denen die Weihnachtsplätzchen geworden sind.

Der Igel geht Hefe holen

Der Igel kam mit seiner Frau überein, dass sie zu Ostern Kuchen backen wollten.

Er sagt: „Bereite alles vor, was nötig ist, und ich gehe Hefe holen."

Und er ging aus dem Hause, eilig und voller Hast, um Hefe zu holen. Der Igel war so in Eile, dass er drei Jahre fortblieb und Pfingsten nach Hause kam. Hastig betrat er sein Haus, eilig stieg er mit seinem Hefetöpfchen über die Schwelle. Dabei rutschte er mit einem Fuß aus, stürzte der Länge nach hin und verschüttete die ganze Hefe auf die Erde.

Sagt der Igel: „Was hat man davon, wenn man etwas so eilig macht? Durch allzu große Hast habe ich nun den Schaden. Ich selber bin gestürzt, und alle Hefe habe ich auf die Erde geschüttet! Es lohnt sich nicht, etwas so eilig zu tun."

Da sagt die Igelfrau zu ihm: „Wo hast du dich denn so beeilt? Schon drei Jahre ist es her, seit du aus dem Haus gegangen bist! Du gehst weg, um für Ostern Hefe zu holen, nach drei Jahren bringst du die Hefe zu Pfingsten, und dann schüttest du sie noch auf die Erde!"

Sagt der Igel zu seiner Frau: „Das kommt davon, dass ich ich so beeilt habe, nur so ist der Schaden entstanden!"

Der Osterhase

Jeder kennt den Osterhasen, und jeder freut sich auf ihn. Der Osterhase ist das bekannteste Symbol der Osterzeit, denn er bringt die Ostereier und all die anderen süßen Leckereien am Ostersonntag!

Ursprung des Osterhasen

Das ist leider nicht so ganz klar. Eine mögliche Erklärung besagt, dass der Hase das Symbol der Fruchtbarkeitsgöttin Eostre war. Da der Hase sich gerne so rapide vermehrt, lag die Verbindung ja schon irgendwie nahe. Und da Ostara, das Fest der Eostre, im Frühling gefeiert wird und mit der Christianisierung zu Ostern wurde, bot sich der Hase als Oster-Symbolik auch irgendwie an.

Da wurde der Hase mehr oder minder von der christlichen Kirche in die ganze Geschichte und Mythologie um Ostern herum hinein integriert. Es gibt genügend Beispiele in der Kunst und Architektur aus der Antike, in welchem der Hase als Sinnbild von Leben und Wiedergeburt gilt.

Auch hier machte sich die Kirche bisherige Ikonographie zu Nutze, und setzte ab dem späten Mittelalter und danach den Hasen zu Ostern als Sinnbild für die Wiederauferstehung Christi ein.

Eine richtige Erwähnung des Osterhasens gab es aber erst am Ende des 17. Jahrhunderts. Ausgerechnet von einem Mediziner, der davor warnte, zu viel Eier zu essen.

So richtig populär wurde der Osterhase auch erst zweihundert Jahre später als Spielzeugfiguren und bebilderte Osterhasen-Bücher und natürlich Schokoladen Osterhasen auftauchten, konnte sich niemand mehr dem Einfluss des kleinen niedlichen Tieres entziehen.

Osterhase & die Ostereier - Wieso bringt der Osterhase die Ostereier?

Genau betrachtet hat der Osterhase diesen Job noch gar nicht so lange. Wie erwähnt bringt der Osterhase erst seit dem 17. Jahrhundert die Ostereier vorbei. Davor waren es andere Tiere; je nach der Region war es entweder ein Fuchs oder ein Kuckuck, ein Storch oder ein Ostervogel.

Mitunter sogar die Kirchtumglocken. In den Vogesen hieß es, dass die Glocken am Gründonnerstag nach Rom fliegen, um dort die Ostereier zu holen. Wenn sie dann am Karsamstag zurückkommen, lassen sie die Ostereier über den Gärten und Feldern der Einwohner fallen, wo die Kinder sie finden können.

(Nach Römischem Ritus werden die Kirchenglocken zwischen Gründonnerstag und der Osternacht aus Zeichen der Trauer nicht geläutet.)

Eier galten schon im alten Babylonien, Ägypten und Persien als Symbol für Fruchtbarkeit und erneutes Leben. Auch hier liegt die Verbindung mit der christlichen Symbolik nahe.

Es ist also durchaus denkbar, dass im Fall von Osterhasen und Ostereiern einfach zwei verschiedene Ideen, die trotzdem dasselbe ausdrücken, zusammenkamen und seitdem dafür sorgen, dass der Osterhase die Ostereier bringt.

Osterbräuche

Ostereier

Das Färben von Ostereiern ist einer der weit verbreitesten Osterbräuche. Der Ursprung des Ostereis im christlichen Glauben ist bis heute nicht ganz geklärt. Das Ei gilt aber zum Beispiel in der Kunstgeschichte als Symbol für die Auferstehung. Es steht in vielen Religionen für neues Leben und Wiedergeburt, da aus ihm Leben schlüpft. Bereits im alten Rom und Griechenland wurden zu den Frühlingsfesten Eier verziert und Freunden geschenkt und in den Tempeln hingen die bunten Eier als Verzierung.

Den Osterbrauch des Ostereier Verschenkens kann man neben dem Ursprung aus den Schöpfungsmythen verschiedenster Völker auch auf das Mittelalter zurückführen. Hier wurden oft Abgaben an den Lehnsherrn, Lehrer und Kirchenträger mit Eiern ausgezahlt. Da Eier während der Fastenzeit nach christlicher Tradition nicht gegessen werden durften, wurden die gelegten Eier gekocht, um sie haltbar zu machen. Am Ostersonntag durften dann wieder Eier gegessen werden.

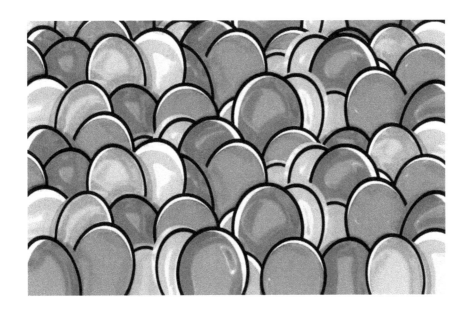

Ostereier suchen

Vor allem bei Kindern ist dieser Osterbrauch sehr beliebt, aber auch so mancher Erwachsener legt noch Wert darauf, sein Osternest am Ostersonntag suchen zu müssen. Dieser Osterbrauch ist noch nicht so alt und wird im 17. Jahrhundert das erste Mal in Deutschland schriftlich erwähnt.

Wie die Ostereiersuche wirklich entstand, ist nicht geklärt. Ihre Entstehung wird in die Zeit des Übergangs vom Heidentum zum Christentum gesetzt, da die Kirche sich einige heidnische Bräuche zu eigen machte.

Das Osterfeuer

Ein weiterer Brauch sind auch die Osterfeuer – Frühlingsfeuer, sie dienten zum endgültigen Austreiben des Winters, zum Begrüßen des Frühlings und der Sonne. Zugleich hoffte man mit dem Feuer auf gute Ernten. Im Christentum soll es an die Auferstehung Christi erinnern. Entzunden werden die Osterfeuer in den Abend- und Nachtstunden am Karsamstag. Dabei versammeln sich Nachbarn und Freunde um das meist meterhohe Holzfeuer, blicken in die Flammen und wärmen sich daran.

Fastenzeit und Auferstehung

Zur Zeit der Christianisierung baute das Christentum auf diese Tradition auf und übernahm das Osterfest in Form der

Auferstehung Jesus Christus, die mit einer 40 tägigen Fastenzeit vorhergeht. Mit Aschermittwoch (dem Tag nach Faschingdienstag) beginnt die Fastenzeit bis eine Woche vor Ostern, der sogenannten Karwoche, die mit dem Palmsonntag eingeleitet wird. Das Wort „Kar" stammt vom althochdeutschen Begriff „kara" ab und bedeutet „klagen, trauern". Am Palmsonntag wird dem Einzug Jesu in Jerusalem gehuldigt mit sogenannten „Palmbuschen". Am Gründonnerstag feierte Jesus das letzte Abendmahl mit seinen Jüngern. Auch wenn allzugerne „grünes Essen" wie Cremespinat mit Erdäpfeln und Spiegelei die mittlerweile traditionelle Speise am Gründonnerstag in vielen steirischen Haushalten gekocht wird, hat dieser Tag mit der Farbe Grün wenig gemein. Die Bezeichnung geht vielmehr auf den althochdeutschen Begriff „grunen" zurück der „klagen, weinen" bedeutet. Am Karfreitag wird dem Tod Jesus am Kreuz gedacht und als strenger Fasttag auf Fleisch verzichtet. Der Karsamstag gilt als die Grabesruhe. Am Ostersonntag wird die Auferstehung Jesus von den Toten gefeiert. Am Ostersonntag bzw. Karsamstag findet die sogenannte Fleischweihe statt. Dabei werden Körbe voll mit Zutaten der Osterjause (Schinken, Kren, Brot, Eier) in die Kirche zur Segnung gebracht. Die Weihung und der anschließende Verzehr, beendet die Fastenzeit. Mit den geweihten Speisen soll man angeblich ein Stück „Seligkeit" zu sich nehmen. Dies sind nur einige des Brauchtums zu Ostern.

Valentinstag

Über den Valentinstag erzählt man sich folgende Geschichte, deren Wahrheit nicht bewiesen ist: „Im 3. Jahrhundert regierte Claudius II Gothicus das römische Reich. Sein Spitzname war Claudius der Grausame, weil er ein grausamer Führer war und sich stets in Kriege verwickeln ließ, in denen er seine eigenen Leute misshandelte. Schließlich wurde es schwierig, genug Soldaten zusammenzubekommen. Claudius dachte, dass kaum einer mehr Soldat werden wollte, weil diese nicht ihre „Lieben" oder „Familien" alleine zurücklassen wollten. So beschloss er, alle Ehen und Verlobungen in Rom aufzulösen. Tausende Paare sahen ihre Hoffnung auf Eheschließung dahinschwinden, nur durch einen Befehl eines Tyrannen. Und es schien so, dass keiner sich gegen den tyrannischen Herrscher aufbegehren getraute. Jedoch ein einfacher christlicher Priester namens Valentin stand auf und trat für die LIEBE ein. Er begann heimlich Soldaten mit ihrer „Liebe" zu vermählen, bevor sie in den Krieg ziehen mussten. Er wusste, dass das gegen den Erlass Claudius war. Im Jahre 269 n. Chr. fand der Herrscher Claudius heraus, dass Valentin Paare heimlich traute. Er ließ Valentin festnehmen, in ein Gefängnis werfen und meinte, dass er bald hingerichtet werden würde. Während Valentin auf seine Hinrichtung wartete, verliebte er sich in ein blindes Mädchen, die Tochter des Gefängniswärters. Am Abend seiner Hinrichtung schrieb er ihr ein „Sonnet" (eine

Gedichtsform) ohne Schreibutensilien, sondern mit der Flüssigkeit, die er aus Veilchen presste. Laut Legenden heißt es, dass seine Worte das blinde Mädchen wiedersehend machten. Es war eine kurze Romanze, weil Valentin am nächsten Tag von römischen Hinrichtern mit einer Keule nieder geprügelt wurde bis er starb. Valentin gab sein Leben für die Liebe, die in der heiligen Ehe gegründet ist. Er mag tot sein, aber die Botschaft, die er lebte, lebt weiter." Valentinstag feiert man am 14. Februar. Denn unsere Ahnen glaubten, dass sich an diesem Tag die Vögel vermählen.

Sylvester – andere Länder / andere Sitten

In **Österreich** wird das neue Jahr mit einem Gläschen Sekt, Bleigießen, Walzertanz und mit einem Feuerwerk gefeiert, sowie von der Wiener Pummerin eingeläutet.

Es gibt aber auch viele andere Traditionen.

Italien:

In Italien dreht sich alles um Liebe und Geld zu Sylvester. Frauen tragen rote Unterwäsche um sich die „amore" auch für das neue Jahr zu sichern. Am. 1 Jänner muss diese allerdings weggeworfen werden. Um Bares (Geld) zu bringen essen die Italiener traditionell Linsen.

Mit einem alten Brauch ist aber Schluss. Früher haben die Leute ihre alten Sachen wie Teller oder Möbelstücke aus dem Fenster geworfen! Das war sehr gefährlich, für Fußgänger und geparkte Autos.

Brasilien:

In Brasilien "schneit" es am 31. Dezember. Ausgerollte Klopapierrollen und Papierschnipsel schmeißen die Menschen aus den Fenstern. Anhänger von Iemanja, der Göttin des Meeres, treffen sich am Strand oder – wenn in der Nähe kein Meer ist – an einer Kreuzung von vier Trassen. Dort lassen sie Blumen und Geschenke für die Mutter des Meeres zurück.

Mexico:

In Mexiko stehe zu Sylvester zwölf Wünsche frei. Genauso wie in Spanien werden um Mitternacht Weintrauben gegessen. Mit jedem Glockenschlag wird eine Weintraube verzerrt und dabei wünscht man sich Gesundheit, Glück in der Liebe oder auch viele andere Sachen. Gefeiert wird zusätzlich auch mit viel Feuerwerk.

Russland:

Am 31. Dezember wird nicht nur der Jahreswechsel, sondern auch in vielen russischen Familien Weihnachten gefeiert. Silvester fällt genau in die russischorthodoxe Weihnachtszeit. "Es wird ein Baum geschmückt und für jeden gibt es Geschenke. Kurz vor Mitternacht spricht der Präsident im Fernsehen zum Volk und wünscht alles Gute im neuen Jahr. Es wird viel und üppig gegessen.

Japan:

Vor dem Jahreswechsel muss das ganze Haus gereinigt werden. 108 Mal schlagen dann die Glocken, um Mitternacht um die 108 Begierden des Menschen und die 108 Übel aus dem alten Jahr zu vertreiben. Gegessen werden Soba-

Nudeln. Die langen und dünnen Teigwaren sollen ihnen ein langes und glückliches Leben bescheren.

USA:

Aufgrund der Größe gibt es in den USA keinen einheitlichen Sylvesterbrauch. Allerdings sind Maskenbälle sehr beliebt. Besucher bedecken dabei ihre Gesichter mit fantasievollen Masken und Punkt Mitternacht wird das Geheimnis gelüftet wer hinter der Verkleidung steckt. Es wird auch vielerorts kreis- und rundförmiges gegessen. Das soll Glück bringen.

Niederlande:

Es gibt in den Niederlanden weniger einen speziellen Brauch. Dafür gibt es aber ein besonderes Essen. Es gibt 'o-liebollen', die sind krapfenartig, sowie Apfelbeignets. Bei den Belgiern kommen traditionell Austern und Meeres-früchte auf den Tisch. Und es gibt eine besondere Torte in Form eines Herzens; das "Coeur de Nouvel-An". Unter dem Mistelzweig zu küssen ist auch weit verbreitet-

Silvesterbräuche in China: Gemäß dem chinesischen Kalen-der findet der Start in das neue Jahr nicht wie bei uns am 31. Dezember statt, sondern am Tag des ersten Vollmonds nach dem 21. Januar. Die Häuser werden gründlich gerei-nigt, um die bösen Geister zu vertreiben und eine Stunde vor Mitternacht werden die Fenster weit geöffnet, damit das Glück seinen Weg hineinfindet. Ein besonderes Ritual unverheirateter Frauen: Sie werfen Mandarinen ins Meer und hoffen, so den richtigen Mann fürs Leben anzulocken. Traditionell kommt dabei die ganze Familie zusammen, um den letzten Tag des Jahres mit einem großen Essen zu feiern.

Von Land zu Land machen viele verschiedene Traditionen Sylvester zu einem sehr individuellen Fest. Eines haben aber alle Feste gemeinsam – erhofft wird eine glückliche Zukunft im neuen Jahr.

Der fliegende Holländer (von Richard Wagner)

Tagelang schon hatte es gestürmt, und das Schiff im Hafen konnte nicht ausfahren. Das war dem Kapitän nicht recht. Er war ein grober Kerl, der nur befehlen und nicht gehorchen konnte. Er war Meister auf seinem Schiff und Meister auf dem Meer. Er freute sich, wenn das Wetter schlecht war, da hatte er zu kämpfen, und es gelang ihm immer, das Schiff sicher in den Hafen zu bringen. Jetzt aber lag er da im Hafen, und der Sturm kam schnurgerade aus dem Westen aus dem Meer, und kein Schiff war imstande, aus dem Hafen zu segeln. Der Kapitän hatte schon viele Tage gewartet und schrie dem Sturm entgegen: „Morgen segeln wir!"

„Herr Kapitän", sagte der Steuermann vorsichtig, „morgen ist Ostern. An Ostern fährt man nicht aus, das ist ein heiliger Tag."

„Was schert mich Ostern", erwiderte der Kapitän finster, „ich fahre aus!"

„Nicht am Tag der Auferstehung", sagte der Steuermann leise.

„Ich segle, wann es mir passt!" schrie der Schiffer. Da schwieg der Steuermann und wendete sich ab. Finster schaute der Schiffer in Wellen, Wolken und Wind.

„Bei diesem Wetter kommst du nicht hinaus", hatte man ihm gesagt, „dein Schiff wird zerschmettert, noch bevor es aus dem Hafen ist" Sollte er sich vom Wetter regieren lassen und noch tagelang warten? Oder? Oder regierte hinter dem Sturm vielleicht eine höhere Macht, der er zu gehorchen hatte? Er fluchte und lachte laut: „Morgen segeln wir!"

In dieser Nacht wuchs der Sturm zum Orkan, aber schon ganz früh befahl der Schiffer: „Wir stechen in See!"

Der Steuermann wollte etwas sagen, überlegte und wiederholte dann laut zu den Matrosen: „Wir segeln!"

Die Matrosen jauchzten. Das war einmal ein Kapitän. Der hatte es in sich. Sie kletterten ins Tauwerk und arbeiteten wie die Wilden. Sie wollten fahren! Sie sangen laut. Da fingen die Osterglocken zu läuten an. Die Matrosen hörten zu singen auf und starten auf die Kirche, die rief und rief: Christus ist auferstanden!

„Wir fahren!" schrie da der Schiffer und überstimmte die Glocken mit seiner tönenden Stimme. Da arbeiteten die Matrosen wieder. Der Schiffer des benachbarten Schiffes rief ihn an: „Fährst du?"

„Ich fahre!" rief der Kapitän.

„Hörst du die Glocken nicht?"

„Ich fahre!"

„Und hörst du den Orkan nicht?"

„Ich fahre!"

„Das wirst du bereuen, Mann. Du siehst keinen Hafen mehr."

Der Kapitän richtete sich stolz auf: „Ich soll keinen Hafen mehr sehen? Du willst mich wohl einschüchtern? Und wenn ich in Ewigkeit segeln sollte, ich fahre!"

Da ließ er alle Segel setzen. Die Matrosen sangen nicht mehr und jauchzten nicht mehr. Es war totenstill geworden unter ihnen. Man hörte nur, wie der Sturm durch das Tauwerk pfiff und wie er mit den Segeln klapperte. Und man hörte die Osterglocken. Schweigend lichteten sie den Anker, und schweigend warteten sie auf weiteren Befehl ihres Schiffers. Es kam aber kein Befehl. Der Schiffer stand auf der Brücke und rührte sich nicht mehr. Er schaute vor sich aufs Wasser hinaus. Da rührten sich auch die Matrosen nicht. Der Sturm pfiff durchs Tauwerk, die Glocken läuteten und die Segel blähten sich gegen den Wind! Die Leute auf dem Kai wurden unruhig.

Hier geschah etwas, das keiner fassen konnte. Die Segel des Schiffes blähten sich gegen den Wind, und das Schiff schoss gegen den Wind aus dem Hafen. Der Schiffer rührte sich nicht. Die Matrosen rührten sich nicht. Aber das war doch nicht möglich?! Geschah hier ein Wunder? Die Osterglocken läuteten. Und das Schiff fuhr trotzdem aus? Das konnte nur eine Totenreise werden. Das war eine Herausforderung! Es wurde still auf dem Kai. Die Glocken läuteten, der Sturm brüllte. Das Schiff schoss dem Meer entgegen. Ein großer schwarzer Vogel flog um den Mast herum. Aber was war denn das? Es war, wie wenn die Segel aufglühten im Sonnenschein. Und es gab keine Sonne! Brannte es auf dem

Schiff? Aber es gab keine Flammen und keinen Rauch! Trotzdem leuchteten die Segel blutrot, während der Rumpf des Schiffes pechschwarz wurde. Es war ein Gespensterschiff. Gott hatte es verurteilt. Da zitterten die Menschen und liefen in die Kirche, um zu beten. Das Schiff wurde in keinem Hafen mehr gesehen. Weder der Reeder noch die Verwandten erhielten je irgendwelche Nachricht, und man nahm an, das Schiff habe Schiffbruch erlitten.

Nach vielen Jahren aber geschah es, dass in der Nähe des Kaps der Guten Hoffnung an Backbord eines friedlich dahinsegelnden Schiffes plötzlich ein anderes Schiff auftauchte, mit blutroten Segeln und einem pechschwarzen Rumpf und dem alten Matrosen, der es als erster entdeckte, standen die Haare zu Berge, und er schrie laut auf Das Schiff fuhr gegen den Wind. Es schoss vorbei, gegen den Wind! Es war keine lebende Seele an Deck. Nur ein großer, schwarzer Vogel flog um den Mast herum.

„Ein Gespensterschiff wollt ihr gesehen haben?" lachte der Kapitän, als man ihn herbeiholte. „Ans Takelwerk mit euch! Es gibt keine Gespenster!"

Am nächsten Tag aber warf ein fliegender Sturm das Schiff auf die Felsen, wo es zersplitterte. Der alte Matrose, der das Geisterschiff zuerst gesehen hatte, war der einzige, der lebend an Land kam, und er war der erste, der über den „Fliegenden Holländer" berichtete. Immer wieder tauchte das Gespensterschiff in der Nähe des Kaps der Guten Hoffnung auf, und wehe dem Schiff, dessen Weg es kreuzt, es muss untergehen. Nur einmal ist einem Schiff nichts geschehen, dessen Weg es kreuzte, obgleich es schlimm genug aussah. Es geschah wieder in der Nähe des Kaps der Guten Hoffnung. Das Wetter war herrlich und der Wind kräftig, ohne gefährlich zu sein. Das Schiff war auf dem Weg nach Java. Auf einmal tauchte an Backbordseite ein Segelschiff auf. Keiner hatte es kommen sehen. Es war ganz plötzlich da, und es fuhr gerade auf das Schiff zu. Die Besatzung schrie! Ein schreckliches Unglück musste geschehen! Aber das Segelschiff schoss ruhig, es hatte blutrote Segel und einen pechschwarzen Rumpf, durch die Schiffswand, ohne Laut, ohne Krach, ohne Schaden durch das ganze Schiff hindurch und verschwand. Die Besatzung sah, wie der Kapitän erstarrt auf der Brücke stand, mit wehenden, weißen Haaren, bleich und fahl, mit Augenhöhlen ohne Augen drin. Und ein großer, schwarzer Vogel flog um den Mast herum.

„Das war der Fliegende Holländer", wagte einer zu flüstern. „Was wird uns geschehen!?" jammerte ein anderer. Aber es geschah nichts. Der gespenstische Zusammenstoß hatte wohl genügt. Seitdem kreuzt der Fliegende Holländer das Meer. Man erzählt sich, dass der unglückliche Kapitän nur einmal alle sieben Jahre vor Anker gehen darf.

Dann hört man auf der oder jener Reede eine Ankerkette rasseln, und eine hohle Stimme ruft: „Ich bringe Briefe!" Ein Boot kommt unsichtbar angefahren. Man hört die Ruder, und eine Hand, man sieht immer nur eine Hand, reicht Briefe. Man sagt, der Seemann, der einen solchen Brief erhalte, müsse ihn sofort an den Mast nageln, sonst geschehe ein Unglück. Ob der arme Fliegende Holländer je seine Ruhe finden wird? Oder hat er sie bereits gefunden?

Denn heutzutage sieht keiner den Fliegenden Holländer mehr.

Maibaum

Ein Maibaum ist ein geschmückter Baum oder Baumstamm, der in der Regel am 1. Mai aufgestellt wird. In den meisten Regionen, besonders in Bayern und Österreich   ist das feierliche Aufstellen eines Baumstammes auf dem Dorfplatz üblich. Der spezielle Brauch mit dem damit verbundenen Dorf- oder Stadtfest, das in der Regel am 30. April, am 1. Mai oder an Pfingsten stattfindet, ist in vielen Teilen Mittel- und Nordeuropas verbreitet, in Skandinavien jedoch eher zu Mittsommer (bzw. am Johannistag). In der Schweiz ist der Brauch des Maibaumaufstellens in den ländlichen Gemeinden anzutreffen. Bei Maibäumen handelt es sich um meist große, hochstämmige, verzierte Bäume, die an zentralem Platz im Ort bei einer festlichen Veranstaltung aufgerichtet werden. Je nach Region – und sogar je nach Ort – kann die Gestaltung der Maibäume sehr unterschiedlich aussehen. In ländlichen Gebieten geschieht das Aufrichten per Muskelkraft, in weiten Teilen Bayerns z. B. grundsätzlich durch die Mitglieder des örtlichen Brauchtumvereins. Innerhalb der meisten Städte ist das mittlerweile untersagt, dort kommen im Hinblick auf die erhöhte Unfallgefahr Maschinen zum Einsatz. Entweder wird der Maibaum jedes Jahr neu gefällt, oder es wird über mehrere Jahre derselbe Stamm verwendet, dem eine neue Krone aufgesetzt wird. In Ostfriesland zum Beispiel wird der Stamm unter Wasser gelagert und jedes Jahr zum Mai wieder hervorgeholt. Meist werden die Stämme geschält und mit bunten Girlanden, Tannengrün oder Krepp-Papier geschmückt.

Andernorts sind sie ohne Verzierung oder werden im Naturzustand mit Rinde belassen. Am oberen Ende wird der Baum meistens von einem Kranz und der grünen Baumspitze gekrönt. Ein nach bayerischen Traditionen „richtig" geschnürter (bemalter) Stamm hat in Bayern die Spirale von unten links nach oben rechts gedreht. Als Vorlage dienen dabei die bayerischen Rauten, die den weiß-blauen Himmel darstellen. In Franken sieht man die Bäume dagegen in weiß-rotem Streifendesign. Im Rheinland wird als Maibaum oft eine Birke geschlagen oder eine kleine Birke einem hohen entasteten Nadelbaumstamm aufgesetzt, während z. B. in Bayern meistens ein Nadelbaum gewählt wird.

Aufstellung des Baumes

Der Maibaum wird mit Hilfe langer Stangenpaare, sogenannter Schwaiberl oder auch Scharstangen und ansonsten nur mit Irxnschmalz (baierisch für Schwalben bzw. Scherstangen bzw. Muskelkraft), aufgestellt direkt vor dem Aufstellen wird der Baum je nach Region in einer Art Prozession durchs Dorf getragen, deren Ziel oft ein zentraler Platz ist und die meistens von Zuschauern und einer Blaskapelle begleitet wird. Dort findet dann nachmittags oder gegen Abend das eigentliche Aufstellen des Baums statt. Während der Maibaum früher meistens mit Hilfe langer Stangen, aufgestellt wurde, nimmt man heute auch Traktoren, Gabelstapler oder sogar Kräne zu Hilfe, wobei eher ein Trend zur Rückkehr alter Traditionen besteht. In einigen Orten und in Niederösterreich verwendet man Seile und Leitern. Der Maibaum bleibt je nach lokalem Brauch bis zum Monatsende (manchmal auch bis zum Herbst) stehen und wird dann wieder umgelegt. Er wird entweder abgeschmückt und der Stamm für das nächste Jahr eingelagert oder im Rahmen eines Festes um geschnitten. Dabei wird der Baum oft als Brennholz versteigert oder verlost. Üblicherweise überlässt dann der Gewinner den Baum dem Veranstalter und erhält dafür einen Ersatzpreis. In vielen Teilen Bayerns bleibt der Baum ganzjährig stehen. Dabei ist es vor allem in den Gegenden Oberbayerns üblich, einen Maibaum nur alle zwei bis fünf Jahre aufzustellen und den alten Baum nach Möglichkeit auch bis ein Jahr vor der Neuaufstellung stehen zu lassen.

Wenn der Baum am Vorabend des 1. Mai aufgestellt wird, dann geht die Veranstaltung meistens in einen Maitanz über. Während sich die Zuschauer meistens mit Bier und Bratwürsten die Zeit vertreiben, mühen sich die jungen Burschen damit ab, den regional auch mit Symbolen verschiedener Berufe geschmückten Maibaum in die richtige Lage zu bringen. Daneben gibt es auch den Brauch, dass die jungen, unverheirateten Männer eines Dorfes vor den Häusern aller unverheirateten Frauen kleinere Maibäume, sogenannte Liebesmaien (meistens Birken oder im „oberschwäbischen" Tannen), als „Gunstbeweis" aufstellen. In einigen Teilen Deutschlands, zum Beispiel im Rheinland, im Saarland, im Bergischen Land, in Franken und in Schwaben, ist es üblich, dass männliche Jugendliche und junge Männer am Haus der Freundin oder Angebeteten einen Baum anbringen.

Üblich sind vor allem mit buntem Krepp-Papier geschmückte Birken, wobei die Farbe der Bänder ursprünglich eine Bedeutung hatte. Je nach örtlichem Brauchtum kann auch am Baum ein sogenanntes Maiherz aus Holz oder festem Karton angebracht werden, in das der Name der Angebeteten eingraviert und in der Regel auch ein Spruch als Zuneigungsbekundung geschrieben wird. Der Maibaum bleibt einen Monat lang stehen, bis zum ersten Juni. Dann holt derjenige den Maibaum ab, der ihn gestellt hat. Üblicherweise wird dies, wenn die Frau ihn mag, mit einer Einladung zum Essen und mit einem Kasten Bier belohnt. Es gibt allerdings auch die Tradition, dass der junge Mann, der den Baum wieder abholt, von der Mutter der Frau einen Kuchen, vom Vater einen Kasten Bier und von ihr selbst einen Kuss bekommt. Kuchen und Bier werden in der Regel an diejenigen Junggesellen verteilt, die den Baum auslösen. Dies sind oft die gleichen, welche schon beim Setzen geholfen haben.

Nachdem der Baum ausgelöst wurde, kann die Frau eine dünne Scheibe vom Fuß des Stammes absägen und dieses als Erinnerungsstück behalten. Üblicherweise geschieht das im Beisein der Junggesellen, bevor der Baum abtransportiert wird. In einem Schaltjahr kann es umgekehrt sein: Weibliche Jugendliche, junge Frauen und verheiratete Männer stellen teilweise auch ihrerseits Maibäume auf. In den letzten Jahrzehnten wurde dieser Brauch in vielen Teilen Deutschlands aufgeweicht, angesehene Mädchen und junge Frauen erhalten oftmals sogar mehrere Maibäume ohne Beziehungsabsichten. Soweit ist das immer noch ein Gunstbeweis, oftmals aber auch nicht mehr. In manchen Orten am Niederrhein setzen die Mädchen und jungen Frauen der Landjugend selber den Jungen und jungen Männern

Maibäume. Das Gegenstück zum Maibaum als Gunstbeweis ist der sogenannte Schandmaien, der eine bösgemeinte Heimzahlung darstellt.

Maibaumstehlen

Um das Entwenden des Maibaums zu verhindern, muss nach dem Brauch in Ostfriesland spätestens bei Annäherung von Fremden einer der Wächter eine Hand am Baum haben. Schaffen es die Gegner, dieses zu verhindern oder die Wächter so abzulenken, dass sie ihre Pflicht vernachlässigen, und dann drei Spatenstiche gegen den Baum auszuführen, gilt der Baum als gestohlen. Er wird mit einem Schild versehen, auf dem der Sachverhalt vermerkt ist, und entweder gleich oder am folgenden Tag abgeholt und neben dem eigenen Baum der erfolgreichen Diebe aufgestellt. In den meisten Teilen Österreichs und Oberschwabens gilt ein Maibaum erst dann als gestohlen, wenn er von den Dieben vollständig umgelegt wurde, oder erst wenn er bereits vom ursprünglichen Standort abtransportiert wurde.

Es gilt als Regel, dass nur der Maibäume stehlen darf, der auch selber einen aufgestellt hat. In Bayern muss der zukünftige Maibaum bereits gefällt sein. Ein noch fest verwurzelter Baum, von dem nur bekannt ist, dass er als Maibaum gewählt wird, darf deshalb nicht entwendet werden. Liegt der Baum nach dem Fällen im Wald bzw. am Waldrand, darf er nicht gestohlen werden, da dies Holzdiebstahl wäre. Nach der ursprünglichen bayerischen Tradition durfte der

Baum nur in der Walpurgisnacht selbst gefällt werden, damit durfte er auch nur in dieser Nacht gestohlen werden. Heutzutage werden Maibäume aber in der Regel schon Wochen vorher gefällt und können daher auch schon früher gestohlen werden. Somit bleibt bis zum 1. Mai außerdem noch genug Zeit für das Auslösen und den Rücktransport. Legt schließlich während des Klauversuches ein Dorfbewohner seine Hand auf den Baum und spricht die Worte: „Der Baum bleibt da", dann darf der so geschützte Maibaum von den Maibaumdieben nicht mehr angerührt werden. Dies gilt auch noch im Gemeindebereich. Üblich ist das Auslösen gestohlener Bäume. Dazu begibt sich eine Abordnung der Bestohlenen zu den Dieben und handelt den Preis aus, der üblicherweise in Naturalien (Getränke und Essen) zu entrichten ist.

Nach erfolgreichen Rückgabeverhandlungen wird der gestohlene Baum, oft in einer feierlichen Prozession mit Blasmusikbegleitung, von den Dieben zu seinen rechtmäßigen Eigentümern zurückgebracht. Scheitern die Verhandlungen dagegen und wird der Maibaum nicht ausgelöst, stellen ihn in Bayern die neuen „Besitzer" als Schandmal für das Nachbardorf oder den Nachbarstadtteil und als zusätzlichen Segensbringer für ihren eigenen Ort auf. Nach einigen Wochen wird die Beute dann zersägt und versteigert. Oft wird an diesem „Schandbaum" dann eine Tafel befestigt, auf der die Maibaumdiebe ihre Enttäuschung durch Spottverse zum Ausdruck bringen. In Sachsen hat sich mit der Zeit ein entspanntes Regelwerk gebildet. Der Baum wird meist schon einen Tag vor dem 1. Mai aufgestellt, um den Anlass ausgiebig zu feiern. Fällt der 1. Mai aber auf einen Freitag oder Samstag, wird er mancherorts erst an diesem Tag aufgestellt. Auch in Sachsen gibt es sämtliche Arten von Maibäumen von frisch geschlagen aus dem Wald (meist Birken), bis zur geschälten Fichte grün/weiß bemalt, und natürlich alle mit Bändern bestückt. Genauso breitgefächert sind die Regeln beim Stehlen des Baumes. So darf der Baum, sobald er geschlagen oder deutlich als Maibaum erkenntlich ist, schon eine Nacht vor dem Aufstellen gestohlen werden, denn in der Nacht, wenn er schon steht, wird er meist von der Dorfjugend bestens bewacht.

Gestohlen werden darf aber nur nachts, und ohne Anwendung von Gewalt, sei es gegen den Baum oder die Aufpasser. Als gestohlen zählt er nur, wenn er unbemerkt über die Ortsgrenze gebracht wurde. Da der Maibaum meist aus alter Tradition heraus mit der Hand, Stangen und Seilen aufgestellt wird, dürfen diese Bäume auch nur manuell umgelegt und aus dem Ort herausgetragen werden. Ausgelöst wird er nach ausgiebigen Verhandlungen durch angemessene Sachpreise, meist in flüssiger Form. In einigen Teilen Niederösterreichs und Oberösterreichs darf der Baum die ersten beiden Tage und Nächte nach dem Aufstellen durchgehend gestohlen werden. In der 3. Nacht ist das Stehlen nur noch bis Mitternacht erlaubt. Der Baum gilt dann als gestohlen, wenn die Diebe den Baum um ca. 45° umgelegt haben. Wenn vorher einer der Bewacher oder Dorfbewohner die Diebe erwischt, müssen die Diebe den Baum wieder aufstellen. Wenn der Baum vor dem 1. Mai bereits fertig geschmückt auf seinen großen Tag wartet, darf er ebenfalls gestohlen werden. In Teilen Österreichs ist es auch üblich, dass sich die Diebe des Maibaums in einem öffentlichen Schauprozess verantworten müssen, und in diesem durch geschicktes Verhandeln die Strafe für ihren Diebstahl niedrig halten können.

In Oberösterreich und im Mostviertel wird der Maibaum bis zu drei Tage vor dem 1. Mai aufgestellt und dann durchgehend bewacht. In diesem Gebiet ist es nur erlaubt, bereits stehende Maibäume zu stehlen.

Die Bäume müssen dabei auf die gleiche Art und Weise umgelegt werden, wie sie aufgestellt wurden. Ein Einsatz von maschinellen Hilfsmitteln ist daher nur erlaubt, wenn der Baum auch mittels gleicher Hilfsmittel aufgestellt wurde. Teilweise wird versucht, die Bewachung durch Alarmanlagen oder durch Verstellen der Zufahrtswege mit Kraftfahrzeugen zu ersetzen. In vielen Gemeinden werden dazu die Feuerwehrfahrzeuge verwendet. Trotzdem gelingt es einigen Gemeinden immer wieder, gleich mehrere Maibäume zu stehlen.

Diese müssen dann ausgelöst werden. Meist werden als Auslöse einige Fässer Bier verlangt, die dann aber zumeist gemeinsam geleert werden. Der Maibaumdiebstahl unterliegt Regeln, zu denen zumindest in Bayern ganz sicher auch gehört, dass die Polizei in der Verfolgung der „Straftat" sehr

kulant ist. Wer als Bestohlener die Polizei einschaltet, ver-
stößt gegen die örtlichen Sitten und riskiert seine Ehre.

Mittsommerbaum in Schweden

Die Ursprünge des Maibaumbrauchtums sind immer noch ungeklärt bzw. umstritten. Häufig genannt werden germanische Riten. Die Germanen verehrten Waldgottheiten, denen sie in verschiedenen Baumriten huldigten. Sogar Menhire, Obelisken bis hin zu schamanischen Symbolen im eurasischen und amerikanischen Raum werden als Kultpfähle im Zusammenhang mit Maibäumen betrachtet. Eine durchgängige Tradition zu den heutigen Maibäumen lässt sich jedoch nicht herstellen, wird von einigen Volkskundlern sogar bestritten. In diesem Zusammenhang sollten jedoch Einflüsse der Christianisierung betrachtet werden, die heidnische Sitten unterdrückte und oftmals sogar bestrafte, dem schloss sich mancherorts auch die weltliche Obrigkeit an. Hierauf könnte auch eine wahrscheinliche weitere Unterbrechung der wieder eingeführten Tradition im frühen Mittelalter zurückzuführen sein.

Eine untergegangene Maibaumtradition in Rom dokumentiert ein Gemälde von Agostino Buonamici, gen. il Tassi, (1580–1644) aus der ersten Hälfte des 17. Jahrhunderts. Es zeigt einen stattlichen Maibaum auf dem Kapitolsplatz, an dessen blankem Stamm junge Männer hochklettern. Laut einem Bericht aus der Eifel trat an manchen Orten im 13. Jahrhundert an Stelle des Maibaums ein „christlicher" Pfingstbaum. Auch in Thüringen, Niedersachsen und angrenzenden Regionen wird an vielen Orten ein „Maien" an

Pfingsten gesetzt. Erst im Jahr 1224 wird in Aachen lt. einem Bericht des Caesarius von Heisterbach erstmals wieder ein Maibaumaufstellen dokumentiert. Dem folgt ein Bericht über eine seit 1520 in Franken und Schwaben gepflegte Sitte des Maibaumaufstellens auf dem Dorfplatz.

Aus dem Jahr 1531 stammt eine Rechnung für einen Maibaum in Bayern, 1550 folgt die erste Abbildung eines Maibaumes. In Österreich wird er 1466 erstmals erwähnt – im 17. Jahrhundert jedoch zeitweise verboten. In Altbayern gibt es verschiedene Erwähnungen des Begriffs Maibaum zwischen 1480 und 1611, in keinem davon handelt es sich aber um einen Gemeinschaftsbrauch, vielmehr werden in dieser Zeit Maibäume individuell errichtet.

Andererseits zeigt die Abbildung Starenbergs von Hans Donauer aus dem Jahr 1585 deutlich einen Maibaum in heutigen Sinn aus einem schlanken geschälten Stamm mit Querbalken auf denen Figurengruppen, Wappen oder Handwerkszeichen befestigt sind. 1657 wurde der Maienbrauch erstmals verboten, die Polizeiordnung der Oberpfalz untersagte in als ein „unflätig, unchristlich Ding", auch der Codex Maximilianeus Bavaricus Civilis untersagt ihn als zu „nichts als bloßer Bürger- und Bauernlust" dienenden Brauch. Offiziell zugelassen wurde er erst wieder 1827 durch König Ludwig I. in einer sittenpolizeilichen Verordnung, da es sich um „an sich unschädliche und wohl zu gönnende Vergnügungen" des Landvolkes handele. Diese Verbote wurden aber nicht konsequent befolgt, wie sich aus verschiedenen

Abbildungen belegen lässt. In seiner heutigen hohen Form mit belassener grüner Spitze und Kranz geschmückt ist der Maibaum seit dem 16. Jahrhundert bekannt, allerdings auch in anderen Funktionen: als Kirchenweihbaum, als Ehrenmaibaum für Individuen oder als mit Preisen behängte Kletterstange. Seit dem 19. Jahrhundert kam er (vor allem in Bayern) auch als Ortsmaibaum für die nun selbstständigen Gemeinden (als Symbol ihres Selbstbewusstseins) auf.

Rund um den Maibaum hat sich im Laufe der Zeit allerdings sehr viel lokales Brauchtum entwickelt, das sich vielfach sogar von Dorf zu Dorf erheblich unterscheidet.

In der Romantik (19. Jahrhundert) wurde der Maibaum oft als kultischer „Riesen Phallus" gedeutet, der als Fruchtbarkeitssymbol für reiche Ernten sorgen sollte. Heute spricht kaum ein Volkskundler mehr von diesen „Ursprüngen", die sich so nicht nachweisen lassen. Unklar ist auch, ob der Maibaum in seiner heutigen Form zuerst in Städten auftauchte oder auf dem Land.

Ziemlich unbestritten ist, dass es sich nicht um einen agrarischen Bauernkult handelte, sondern eher um allgemeines Volks-Brauchtum. Wenn er in Städten auftauchte, bestand eher die Chance, dass dies schriftlich dokumentiert wurde – auf dem Land hingegen wurde dieses Brauchtum meist von relativ lose gebundenen Junggesellengruppen erhalten, die in früheren Jahrhunderten oftmals weniger gebildet waren und über die entsprechend weniger berichtet wurde. Dem

Maibaum verwandt ist der Mittsommernachtsbaum in Schweden.

Das Dirndl – ein bayerisches und österreichisches Trachtenkleid

Bedeutung:

Dirndl ist eine Verkleinerungsform von Dirn – der bayrisch-österreichischen Variante von hochdeutsch Dirne. Es bezeichnet in den entsprechenden Mundarten auch noch im heutigen Sprachgebrauch schlicht ein junges Mädchen (vgl. auch niederdeutsch Deern; der Bedeutungswandel zu „Prostituierte" ist eigentlich ein Euphemismus. Die Festlegung auf diesen Gebrauch, der die anderen Bedeutungen von Dirne völlig verdrängt hat, ist eine moderne Entwicklung). Bis etwa Mitte des letzten Jahrhunderts war Dirn auch die gebräuchlichste oberdeutsche Bezeichnung für eine in der Landwirtschaft beschäftigte Magd (auch hochdeutsch Dirne wurde speziell für junge Frauen niederen Standes und insbesondere Dienstboten in Haus- und Landwirtschaft gebraucht). Ein von diesen als Tracht getragenes Kleidungsstück bezeichnet man als Dirndlgewand.

Heutzutage wird der Ausdruck vielfach zu Dirndl verkürzt. Was man heute unter einem Dirndl versteht, sollte nicht mit einer regionalen Volkstracht verwechselt werden. Eine echte (d. h. historische) Tracht weist im Schnitt, der Farbkombination und der Ausstattung ganz bestimmte Merkmale auf, anhand derer man die Trägerin einer Region und einer sozialen Schicht zuordnen kann. Das heute bekannte

Dirndl wurde zwar durch regionale Trachten geprägt, hat aber keinen bestimmten regionalen Bezug.

Geschichte des Dirndls:

Dirndl waren ursprünglich ein rein städtisches Modephänomen. Anfangs noch Dienstbotentracht, setzte sich das Dirndl ab etwa 1870/80 in der Oberschicht des städtischen Sommerfrischepublikums als „ländliches" Kleid durch. Die Erfindung dieses eine gewisse Laszivität ausstrahlenden Kleidungsstückes markierte einen der wichtigsten Ausgangspunkte für das heutige Verständnis von alpenländischer Tracht. In der wirtschaftlich schlechten Zeit nach dem Ersten Weltkrieg wurde das Dirndl zum Kassenschlager, da es als schlichtes Sommerkleid eine preiswerte Alternative zu den oft teuren und aufwendig gearbeiteten historischen Frauentrachten war.

Während des Dritten Reichs wurde die Mittelstelle Deutsche Tracht der Reichsfrauenorganisation unter der überzeugten Nationalsozialistin Gertrud Pesendorfer eingerichtet – der „Reichsbeauftragten für Trachtenarbeit". Sie entwarf in diesem Rahmen die von ihr im nationalsozialistischen Sinn „erneuerte Tracht". Das Dirndl wurde „entkatholisiert", die geschlossenen Kragen entfernt, die Arme nicht mehr bedeckt und damit modernisiert sowie erotisiert. Pesendorfer kreierte die geschnürte und geknöpfte Taille, die bis heute stilbildend für zeitgenössische Dirndlformen ist. Pesendorfers erklärtes Ziel war es, die Tracht von

„Überwucherungen [...] durch Kirche, Industrialisierung, Moden und Verkitschungen" und „artfremden Einflüssen" zu befreien und das „Wurzelechte" wieder hervortreten zu lassen. In ihrem 1938 erschienen Buch Neue Deutsche Bauerntracht Tirol machte Pesendorfer hinter aller Mannigfaltigkeit der Trachten „etwas Gemeinsames" aus, „eine unnennbare Grundhaltung, die sie als eines der kostbarsten deutschen Volksgüter erscheinen lässt."

Im Sinne des „NS-Ahnenerbes" sollten Symbole wie Lebensbaum und -rad, Vogelpaare, Dreispross die "arisch reinen Bauerntrachten zieren". Pesendorfer wurde – obwohl als gelernte Sekretärin ohne fundierte Ausbildung – zur Geschäftsführerin des Tiroler Volkskunstmuseums ernannt. Juden war die Nutzung von Volkskultur verboten, „obwohl diese sie zum Teil besser dokumentierten als alle Volkskundler damals und nachher". Nach 1945 war Pesendorfer weiterhin mit Nähkursen, als Beraterin und Autorin stark stilbildend in Sachen Tracht und Dirndl auf Grundlage ihrer vorherigen Forschungen tätig.

Eine kritische Auseinandersetzung mit dem nationalsozialistischen Hintergrund ihres Tuns und der von ihr kreierten Dirndlformen blieb zu ihren Lebzeiten – bis in die 80er Jahre – aus. Heute bezeichnet der Begriff Dirndl ein Kleid mit engem, oft tief rechteckig oder rund ausgeschnittenem Oberteil (Dekolleté), weitem, hoch an der Taille angesetztem Rock, dessen Länge mit der herrschenden Mode wechselt, und Schürze. Es wird sowohl auf Jahrmärkten und

Kirchweihfesten im ländlichen Raum als auch auf größeren Volksfesten, wie dem Münchner Oktoberfest oder dem Cannstatter Wasen, vor allem in Süddeutschland und einigen Alpenregionen getragen. Während das Tragen entsprechender Kleidungsstücke noch in den 1970er Jahren auf Volksfesten kaum verbreitet war, nimmt es v.a. seit den 1990er Jahren sehr stark zu. Seit den 2000er Jahren nehmen sich, mit unterschiedlichen Resultaten, auch vermehrt Modeschöpfer des Themas Dirndl an. Tänzerin im Dirndl und Tänzer mit bayerischer Tracht. Je nach Anlass kann ein Dirndl aus einfarbigem oder bedrucktem Baumwollstoff, Leinen oder aus Seide gefertigt sein. Meist ist es einteilig mit Verschluss (Reißverschluss, Haken und Ösen, verschiedenartigen Knöpfen oder Schnürung) vorn mittig. Ein Reißverschluss kann auch am Rücken oder an der Seite angebracht sein.

Traditionell hat das Dirndl eine Tasche vorne oder an der Seite eingearbeitet, die unter der Schürze verborgen ist. Dazu wird eine meistens weiße Dirndlbluse (mit Puffärmeln oder schmalen Ärmeln, lang- oder kurzärmelig) getragen, die nur bis kurz unter die Brust reicht, sowie ein Schultertuch oder ein kurzes Halstuch. Ein Kropfband (Würgerband) mit Schmuckanhänger ergänzt oft das Dirndl. Unterschieden werden kann einerseits zwischen einem klassischen Trachtendirndl, einem einteiligen Kleid mit Schürze, auch aus Stoffen mit traditionellen Mustern, und andererseits einem Landhauskleid, das aus grauem oder farbigem Leinen, teilweise mit Ledermieder oder -besatz, gefertigt ist. Auch

Modedesigner kreieren Dirndl-Varianten. Trivia Das Dirndl-fliegen ist seit den 1990er-Jahren vor allem im österreichi-schen und bayerischen Alpenraum verbreitet. Dabei springen Frauen und auch Männer im Dirndl von einem Sprung-brett in einen See oder ein Schwimmbecken, die Flugfiguren werden von einer Jury bewertet. Diese Form des Wasser-springens ist eher dem Bereich Funsport zuzuordnen.

Auf welcher Seite trägt man die Dirndl-Schleife? Wo sitzt die Schleife der Dirndl-Schürze richtig? Wie vermittelt man als Dirndlträgerin, ob man einem Flirt zugeneigt ist oder lieber ungestört eine Maß genießen möchte? Ist die auserwählte Dame überhaupt zu haben? Oder ist sie schon vergeben, verlobt oder gar verheiratet? Hat man eine fesche Dame im Bierzelt erspäht und möchte sich ihr nähern, ist es bei Schleifen wie mit der sprichwörtlichen schwarzen Katze:

Schleife links, Glück bringt's!

Denn ist die Schürze auf der linken Seite gebunden bedeutet das: Ledig! Anbandeln erlaubt oder sogar erwünscht!

Achtung bei Schleife rechts!

Dagegen gilt: Schleife rechts ist für Burschen auf der Pirsch schlecht. Dann ist die Dame in Tracht nämlich mit einem ge-standenen Mannsbild liiert oder gar verheiratet. Flirtversu-che also lieber bleiben lassen – oder eine ordentliche Watschn oder schlimmeres in Kauf nehmen.

Mitte?

Alles andere als unschlüssig! Wird die Schürzenschleife vorne mittig gebunden, könnte man darauf schließen, dass das Mädel im Trachtengewand ein wenig verunsichert bezüglich ihres Familienstandes ist. Aber weit gefehlt: Die Tradition besagt, dass sie noch Jungfrau ist.

Schleife hinten:

Beileid oder Trinkgeld? Wenn sich Frauen die Schleife ihrer Schürze hinten binden, dann kann das zweierlei bedeuten: Entweder sie ist verwitwet oder Kellnerin. Also bitte nicht der Bedienung bei jeder Maß Ihr Beileid aussprechen....

Der Hexentanz auf dem Brocken

Auf dem Harzgebirge gibt es einen hohen, hohen Berg, der über alle Berge, wohl fünfzig Meilen in der Runde, weit hinwegsieht. Er heißt: Der Brocken. Wenn man aber von den Zaubereien und Hexentaten, die auf und an ihm vorgehen und vorgegangen sind, spricht, so heißt er auch wohl der Blocksberg. Auf dem Scheitel dieses kahlen, unfruchtbaren Berges - der mit hunderttausend Millionen Felsstücken übersät ist - hat der Teufel jährlich, in der Nacht vom letzten April auf den ersten Mai, der so genannten Walpurgisnacht, mit seinen Bundesgenossen, den Hexen und Zauberern der ganzen Erde, eine glänzende Zusammenkunft. So wie die Mitternachtsstunde vorüber ist, kommen von allen Seiten diese Wesen auf Ofengabeln, Besen, Mistforken, gehörnten Ziegenböcken und sonstigen Untieren, durch die Luft herbei geritten, und der Teufel holt mehrere selbst dazu ab. Ist alles beisammen, so wird um ein hoch loderndes Feuer getanzt, gejauchzt, mit Feuerbränden die Luft durch schwenkt und bis zur Ermattung herum gerast. Von Begeisterung ergriffen, tritt als dann der Teufel auf die "Teufelskanzel", lästert auf Gott, seine Lehre und die lieben Engelein, und zum Beschluss gibt er, als Wirt, ein Mahl, wo nichts als Würste gegessen werden, die man auf dem "Hexenaltar" zubereitet. Die Hexe, die zuletzt ankommt, muss wegen Vernachlässigung der herkömmlichen Etiquette, eines grausamen Todes sterben. Sie wird nämlich, nach der letzten glühenden

Umarmung des Regenten der Unterwelt, in Stücken zerrissen, und ihr auf dem Hexenaltar zerhacktes Fleisch, den andern zum warnenden Beispiel, als eine der Hauptschüsseln des Schmauses vorgesetzt. Mit anbrechender Morgenröte zerstäubt die ganze saubere Sippschaft nach allen Windgegenden hin. Damit diese Unholde auf ihrer Hin- und Zurückreise weder Menschen noch Vieh Schaden zufügen können, so machen die Bewohner des Ortes um den Brocken vor der einbrechenden Walpurgisnacht an die Türen der Häuser und Ställe drei Kreuze, und sind dann des festen Glaubens, dass sie und die Ihrigen nun von den durchziehenden Geistern und bösen Wesen nicht behext werden können.

Humoristische Fabeln

Humor ist die Begabung eines Menschen, der Unzulänglichkeit der Welt und der Menschen, den alltäglichen Schwierigkeiten und Missgeschicken mit heiterer Gelassenheit zu begegnen. Diese engere Auffassung ist in der sprichwörtlichen Wendung Humor ist, wenn man trotzdem lacht ausgedrückt, die dem deutschen Schriftsteller Otto Julius Bierbaum (1865–1910) zugeschrieben wird. In einer weiteren Auffassung werden aber auch jene Personen als humorvoll bezeichnet, die andere Menschen zum Lachen bringen oder selbst auffällig häufig lustige Aspekte einer Situation zum Ausdruck bringen.

-Info von Wikipedia-

Deinen Finger möchte ich

Ein armer Mann traf eines Tages einen alten Freund, der inzwischen ein Geist geworden war. Als dieser von seines Freundes Armut erfuhr, hob er seinen Finger und zeigte auf einen Stein am Weg. Sofort wurde dieser zu Gold. Der war aber damit noch nicht zufrieden, und so schenkte ihm der Geist noch einen großen Löwen aus Gold. Immer noch war der Mann unzufrieden.

"Was willst du denn noch mehr?" fragte der Geist.

"Deinen Finger möchte ich," war die Antwort.

Der niedrige Stuhl

Yugong besaß einen sehr niedrigen Stuhl. Wenn er darauf sitzen wollte, musste er unter jedes Bein einen Ziegelstein legen. Mit der Zeit fand er das aber zu beschwerlich; das brachte ihn auf eine Idee. Er befahl seinem Diener, den Stuhl in das obere Stockwerk zu bringen. Aber als er sich dort daraufsetzen wollte, stellte er fest, dass er noch immer ebenso niedrig saß.

"Sonderbar," meinte er, "da sagen die Leute, das obere Stockwerk wäre höher; das stimmt aber doch wohl nicht!"

Die Astgabel

In einem gewissen Bergdorf benutzten die Leute Astgabeln als Stuhlbeine. Ein Vater sandte eines Tages seinen Sohn nach einer Astgabel aus. Der Sohn nahm eine Axt und ging in den Wald. Spätabends kam er mit leeren Händen zurück. Als sein Vater ihn deshalb schalt, antwortete er: "Natürlich sah ich eine Menge Astgabeln, aber alle wuchsen aufwärts."

Die fleißige Ameise

Die kleine Ameise kam jeden Tag ganz früh zur Arbeit und fing sofort an zu arbeiten. Sie war sehr fleißig, schaffte viel und war glücklich dabei. Ihr Chef, ein Löwe, wunderte sich, dass die Ameise ohne jede Aufsicht so gut arbeitete. Er dachte, wenn sie ohne Aufsicht so viel schaffte, dann könnte sie mit Aufsicht sicher noch viel mehr schaffen. Also stellte er eine Kakerlake ein die Erfahrung als Aufseherin hatte. Die Kakerlake richtete als erstes eine Stechuhr ein.

Dann brauchte sie eine Sekretärin, die ihr beim Schreiben der Berichte helfen sollte. Außerdem führte sie verschiedene Prozesse ein, um die Arbeit effizienter und sicherer zu machen. Die Ameise musste nun regelmäßig Daten für die Berichte liefern.

Das tat sie gern, denn die Berichte berichteten ja davon, wie gut sie ihre Arbeit machte. Und auch die Prozesse befolgte sie gern, denn auch wenn sie ihren Sinn manchmal nicht verstand, so wusste sicher die Kakerlake, die schließlich vorher BWL studiert und bei einer Unternehmensberatung gearbeitet hatte, warum das nützlich war.

Der Löwe war entzückt über die Berichte der Kakerlake und er bat sie, Grafiken mit Produktionsdiagrammen zu erstellen und Tendenzen zu analysieren, damit er diese bei den Besprechungen mit der Geschäftsführung vorlegen konnte. Dafür musste die Ameise noch mehr Informationen liefern.

Manchmal schaffte sie deshalb ihre eigentliche Arbeit kaum noch, doch sie strengte sich an, denn sie war ja eine fleißige Ameise. Die Kakerlake sah in den Berichten, dass die Produktivität der Ameise leicht sank. Also schickte sie die Ameise auf eine Schulung, damit sie lernte ihren Job noch besser zu machen. Während dieser Zeit blieb jedoch einiges an Arbeit liegen, sodass die Ameise nach ihrer Rückkehr einen Berg von Arbeit vorfand und deshalb sehr unglücklich war.

Um sie zu unterstützen, kaufte die Kakerlake einen neuen Computer und einen Laserdrucker, ließ ein Intranet erstellen und stellte eine Fliege ein, welche dafür die Informatikabteilung managen sollte. Außerdem vereinbarte sie mit der Ameise tägliche Gespräche, um den Fortschritt zu besprechen. Die Ameise, die einst so produktiv und glücklich war, hasste das Übermaß an technischen Prozessen, die Unmengen an Formularen, die sie nun jeden Tag ausfüllen musste und die vielen Besprechungen, die sie von der Arbeit abhielten.

Doch sie hoffte, dass der Löwe bald erkennen würde, dass ihr Unternehmen in die falsche Richtung steuerte. So sagte sie es ihm auch einmal. Der Löwen bemerkte in den Statistiken tatsächlich, dass die Ameise nicht mehr so produktiv war wie früher. Also rief der Löwe die Eule, eine anerkannte Beraterin, um eine Lösung für das Problem zu finden. Die Eule verbrachte drei Monate in der Abteilung, sprach viel mit der Kakerlake und legte am Ende einen langen Bericht vor. Zusammenfassend meinte die Eule: „Um die anspruchsvolle Arbeitslast bewältigen zu können, brauchen sie motivierte Mitarbeiter."

Und tat der Löwe? Er feuerte die Ameise, weil sie unmotiviert war und eine negative Haltung hatte.

Ein guter Mensch ist leicht zu tyrannisieren

Im Tempel an einer Dorfstraße stand in einem Dorf ein hölzernes Götterbild. Ein Wanderer, der einen Graben auf seinem Weg nicht überqueren konnte, nahm die Holzfigur von ihrem Platze und benutzte sie als Brücke. Ein anderer, der kurz darauf vorbeikam, sah das Götterbild auf der Erde liegen und stellte es voller Ehrfurcht wieder auf seinen Platz im Tempel. Aber die Gottheit war erzürnt, weil er kein Opfer dargebracht hatte, und strafte ihn mit einem unerträglichen Kopfschmerz. Die Geister der Unterwelt waren darüber verwundert.

"Du lässt den, der dich mit Füßen trat, freilaufen, bestrafst jedoch den, der dir geholfen hat. Warum das?"

"Versteht ihr denn nicht?" antwortete die Gottheit. "Es ist doch so leicht, einen guten Menschen zu tyrannisieren."

Künstler und Narren

Ein Narr sah einen Künstler an einem rohen Stein arbeiten. "Schade, schade", sagte er, "dass der nicht poliert."

Der Künstler: "Nein, Guter, wir Steinkünstler machen es nicht wie die Menschenkünstler. Diese geben den Kindern eine vollendete Politur, eh sie auch nur daran denken, sie zu bearbeiten."

"Ja, ja", sagte der Narr, "das ist recht, das ist ganz so. Ebenso solltet auch ihr es machen."

Kurzsichtigkeit

Zwei Männer waren außerordentlich kurzsichtig, wollten es jedoch niemandem eingestehen, sondern rühmten sich gegenseitig ihrer scharfen Augen.

Einmal hörten sie, dass in einem Tempel eine Gedenktafel aufgestellt werden sollte. Beide versuchten schon im Voraus heimlich in Erfahrung zu bringen, welche Inschrift die Tafel tragen würde. Am festgesetzten Tag gingen sie gemeinsam zum Tempel.

"Sieh nur," sagte der eine und zeigte nach oben, "bedeuten diese Zeichen nicht Herrlichkeit und Aufrichtigkeit'?"

"Und die kleinen dort! Du kannst sie bestimmt nicht erkennen."

„Sie bedeuten: Geschrieben von Soundso', und dahinter steht das Datum des heutigen Tages!" erwiderte der andere.

Ein Fußgänger fragte, was es denn zu sehen gäbe. Als es ihm erklärt wurde, lachte er laut.

"Die Tafel ist noch gar nicht angebracht worden, wie könnt ihr denn die Schriftzeichen lesen?"

Pinguinade

In der Antarktis bekam ein dicker Pinguin es satt, auf dem kalten Eis herumzuwatscheln, tagelang Eier auszubrüten und für Südpolforscher zu posieren. Er beschloss, den unbekannten Norden zu bereisen. Er kaufte sich einen Sack geräucherter Makrelen, und als sich die Pinguinkolonie für einen Dokumentarfilm schwarze Fräcke anzog, schlich er sich heimlich davon. Er entführte einen Wal und zwang ihn nach Norden, immer gerade aus der Sonne nach.

Als die Sonne senkrecht stand, rebellierte der Wal, und der Pinguin stieg an Land. Kaum gelandet, wurde er wegen illegalem Grenzübertritt verhaftet und in die Wüste verbannt. Dort rutschte der Pinguin gelangweilt die Sanddünen hinunter. Hungrig geworden tauchte er nach Fischen, erfolglos.

Ein Kamel sprang herbei: "Junger Mann, Erdölbohrungen ohne Konzessionen sind verboten!"

Erschrocken griff der Pinguin nach einer geräucherten Makrele.

"Halt, in dieser Wüste gilt ein allgemeines Rauchverbot. Auch kostet eine Fata Morgana für Touristen zwanzig Makrelen. Danke, Ihre Quittung bitte!"

Der Pinguin wollte wissen, wo es etwas zu essen gebe. "Gewöhnlich in den Oasen", antwortete das Kamel. "Aber dies gilt nur während der Hauptsaison. Ich kann Dich aber zu gastfreundlichen Beduinen führen."

"Auf zu den Beduinen" freute sich der Pinguin. Er setzte sich auf das Kamel, und das Kamel trabte quer durch die Wüste, bis zur nächsten Oase. Im Lager der Beduinen wurde der Pinguin freundlich empfangen, gepflegt, gewaschen, gerupft und zu gegorenem Dattelsaft serviert. Das Kamel erhielt zum Dank eine kühle Zitronenlimonade.

Weisheit und Moral

Weisheit (engl. wisdom, alt, lat. sapientia, hebr. hokhmah) bezeichnet vorrangig ein tiefgehendes Verständnis von Zusammenhängen in Natur, Leben und Gesellschaft sowie die Fähigkeit, bei Problemen und Herausforderungen die jeweils schlüssigste und sinnvollste Handlungsweise zu identifizieren. Moral bezeichnet zumeist die faktischen Handlungsmuster, -konventionen, -regeln oder -prinzipien bestimmter Individuen, Gruppen oder Kulturen.

-Info von Wikipedia-

Das Geheimnis der Zufriedenheit

Es kamen ein paar Suchende zu einem alten Zenmeister. "Herr", fragten sie "was tust du, um glücklich und zufrieden zu sein? Wir wären auch gerne so glücklich wie du."

Der Alte antwortete mit mildem Lächeln: "Wenn ich liege, dann liege ich. Wenn ich aufstehe, dann stehe ich auf. Wenn ich gehe, dann gehe ich und wenn ich esse, dann esse ich."

Die Fragenden schauten etwas betreten in die Runde. Einer platzte heraus: "Bitte, treibe keinen Spott mit uns. Was du sagst, tun wir auch. Wir schlafen, essen und gehen. Aber wir sind nicht glücklich. Was ist also dein Geheimnis?"

Es kam die gleiche Antwort: "Wenn ich liege, dann liege ich. Wenn ich aufstehe, dann stehe ich auf. Wenn ich gehe, dann gehe ist und wenn ich esse, dann esse ich."

Die Unruhe und den Unmut der Suchenden spürend, fügte der Meister nach einer Weile hinzu: "Sicher liegt auch Ihr und Ihr geht auch und Ihr esst. Aber während Ihr liegt, denkt Ihr schon ans Aufstehen. Während Ihr aufsteht, überlegt Ihr wohin Ihr geht und während Ihr geht, fragt Ihr Euch, was Ihr essen werdet. So sind Eure Gedanken ständig woanders und nicht da, wo Ihr gerade seid. In dem Schnittpunkt zwischen Vergangenheit und Zukunft findet das eigentliche Leben statt. Lasst Euch auf diesen nicht messbaren Augenblick ganz ein und Ihr habt die Chance, wirklich glücklich und zufrieden zu sein."

Das Lamm und der Wolf

Ein Lämmchen löschte an einem Bache seinen Durst. Fern von ihm, aber näher der Quelle, tat ein Wolf das gleiche. Kaum erblickte er das Lämmchen, so schrie er: „Warum trübst du mir das Wasser, das ich trinken will?"

„Wie wäre das möglich", erwiderte schüchtern das Lämmchen, „ich stehe hier unten und du so weit oben; das Wasser fließt ja von dir zu mir; glaube mir, es kam mir nie in den Sinn, dir etwas Böses zu tun!"

„Ei, sieh doch! Du machst es gerade, wie dein Vater vor sechs Monaten; ich erinnere mich noch sehr wohl, dass auch du dabei warst, aber glücklich entkamst, als ich ihm für sein Schmähen das Fell abzog!"

„Ach, Herr!" flehte das zitternde Lämmchen, „ich bin ja erst vier Wochen alt und kannte meinen Vater gar nicht, so lange ist er schon tot; wie soll ich denn für ihn büßen."

„Du Unverschämter!" so endigt der Wolf mit erheuchelter Wut, indem er die Zähne fletschte.

„Tot oder nicht tot, weiß ich doch, dass euer ganzes Geschlecht mich hasst, und dafür muss ich mich rächen. Ohne weitere Umstände zu machen, zerriss er das Lämmchen und verschlang es. Ist des Bösen Gewissen noch so schwer, es muss ja nur ein Vorwand her.

Das Pferd und der Esel

Ein Bauer trieb ein Pferd und einen Esel, beide gleichmäßig beladen, zu Markte. Als sie schon eine gute Strecke vorwärtsgegangen waren, fühlte der Esel seine Kräfte abnehmen.

„Ach", bat er das Pferd kläglich: „Du bist viel größer und stärker als ich, und doch hast du nicht schwerer zu tragen, nimm mir einen Teil meiner Last ab, sonst erliege ich."

Hartherzig schlug ihm das Pferd seine Bitte ab: „Ich habe selbst meinen Teil, und daran genug zu tragen." Keuchend schleppte sich der Esel weiter, bis er endlich erschöpft zusammenstürzte. Vergeblich hieb der Herr auf ihn ein, er war tot. Es blieb nun nichts weiter übrig, als die ganze Last des Esels dem Pferd aufzupacken und, um doch etwas von dem Esel zu retten, zog ihm der Besitzer das Fell ab und legte auch dieses noch dem Pferd oben auf.

Zu spät bereute dieses seine Hartherzigkeit.

„Mit leichter Mühe", so klagte es, „hätte ich dem Esel einen kleinen Teil seiner Last abnehmen und ihn vom Tode retten können. jetzt muss ich seine ganze Last und dazu noch seine Haut tragen."

Hilf zeitig, wo du helfen kannst. Hilf dem Nachbarn löschen, ehe das Feuer auch dein Dach ergreift.

Das Versteck der Weisheit

Vor langer Zeit überlegten die Götter, dass es sehr schlecht wäre, wenn die Menschen die Weisheit des Universums finden würden, bevor sie tatsächlich reif genug dafür wären.

Also entschieden die Götter, die Weisheit des Universums so lange an einem Ort zu verstecken, wo die Menschen sie solange nicht finden würden, bis sie reif genug sein würden.

Einer der Götter schlug vor, die Weisheit auf dem höchsten Berg der Erde zu verstecken.

Aber schnell erkannten die Götter, dass der Mensch bald alle Berge erklimmen würde und die Weisheit dort nicht sicher genug versteckt wäre.

Ein anderer schlug vor, die Weisheit an der tiefsten Stelle im Meer zu verstecken. Aber auch dort sahen die Götter die Gefahr, dass die Menschen die Weisheit zu früh finden würden.

Dann äußerte der weiseste aller Götter seinen Vorschlag: "Ich weiß, was zu tun ist. Lasst uns die Weisheit des Universums im Menschen selbst verstecken. Er wird dort erst dann danach suchen, wenn er reif genug ist, denn er muss dazu den Weg in sein Inneres gehen."

Die anderen Götter waren von diesem Vorschlag begeistert und so versteckten sie die Weisheit des Universums im Menschen selbst.

Der Adler

Es war einmal ein Mann, der in den Wald ging, um sich einen Vogel zu fangen. Er kam mit einem jungen Adler zurück, den er dann zu seinen Hühnern in den Hühnerhof sperrte. Er gab ihm Hühnerfutter zu fressen, obwohl er ein Adler war, der König der Vögel. Nach einigen Jahren kam ein Naturforscher zu Besuch.

Er erblickte den Adler und rief aus: "Aber das ist doch kein Huhn dort, das ist ein Adler!"

"Stimmt.", sagte der Mann, "Aber ich habe ihn zu einem Huhn erzogen. Er ist jetzt kein Adler mehr, sondern ein Huhn, auch wenn seine Flügelspanne von drei Metern hat. "Oh nein", sprach da der Forscher.

"Er ist noch immer ein Adler, denn er hat das Herz eines Adlers. Und das wird ihn hoch hinausfliegen lassen in die Lüfte."

Der Mann aber schüttelte den Kopf: "Nein, er ist jetzt ein richtiges Huhn und wird niemals fliegen."

Die beiden Männer beschlossen, es auszuprobieren. Der Forscher ließ den Adler auf seinen Arm springen und sagte zu ihm: "Du, der du ein Adler bist, der du in den Himmel gehörst und nicht auf die Erde: breite deine Schwingen aus und fliege!" Der Adler saß auf dem gestreckten Arm des Forschers und blickte um sich. Hinter sich sah er die Hühner nach ihren Körnern picken und sprang zu ihnen hinunter.

Der Mann lachte und sagte: "Wie ich es sagte: er ist jetzt ein Huhn." "Nein", sagte der andere, "er ist ein Adler. Versuche es morgen noch einmal." Am nächsten Tag stieg er mit dem Adler auf das Dach des Hauses, hob ihn empor und sagte: "Adler, der du ein Adler bist, breite deine Schwingen aus und fliege!" Aber als der Adler wieder die scharrenden Hühner im Hofe erblickte, sprang er abermals zu ihnen hinunter und scharrte mit ihnen. Da sagte der Mann wieder: "Ich habe dir gesagt, er ist ein Huhn."

Doch der Forscher schüttelte den Kopf und sagte: "Nein, er ist ein Adler und er hat noch immer das Herz eines Adlers. Lass' es uns noch ein einziges Mal versuchen; morgen werde ich ihn fliegen lassen." Am nächsten Morgen stand der Forscher früh auf, nahm den Adler und brachte ihn hinaus aus der Stadt, weit weg von den Häusern an den Fuß eines hohen Berges. Die Sonne ging gerade auf und vergoldete den Gipfel des Berges. Jede Zinne erstrahlte in der Freude eines wundervollen Morgens. Er ließ den Adler wieder auf seinem Arm sitzen und hob den Arm hoch: "Du bist ein Adler. Du gehörst dem Himmel und auf die Erde. Breite deine Schwingen aus und fliege!" Der Adler blickte umher und zitterte, als erfülle ihn neues Leben, aber er flog nicht. Da ließ ihn der naturkundige Mann direkt in die Sonne schauen. Und plötzlich breitete der Vogel seine gewaltigen Flügel aus, erhob sich mit dem Schrei eines Adlers, flog höher und kehrte nie wieder zurück. Er war ein Adler, obwohl er wie ein Huhn aufgezogen und gezähmt worden war!

Der Geizige

„Ich Unglücklicher!" klagte ein Geizhals seinem Nachbar. „Man hat mir den Schatz, den ich in meinem Garten vergraben hatte, diese Nacht entwendet und einen verdammten Stein an dessen Stelle gelegt."

„Du würdest", antwortete ihm der Nachbar, „deinen Schatz doch nicht genutzt haben. Bilde dir also ein, der Stein sei dein Schatz; und du bist nichts ärmer."

„Wäre ich schon nichts ärmer", erwiderte der Geizhals; „ist ein anderer nicht um so viel reicher? Ich möchte rasend werden."

Der Junge dem ein Arm fehlte

Es war einmal ein Junge. Er war mit nur einem Arm auf die Welt gekommen, der linke fehlte ihm. Nun war es so, dass sich der Junge für den Kampfsport interessierte. Er bat seine Eltern so lange darum, Unterricht in Judo nehmen zu können, bis sie nachgaben, obwohl sie wenig Sinn daran sahen, dass er mit seiner Behinderung diesen Sport wählte. Der Meister, bei dem der Junge lernte, brachte ihm einen einzigen Griff bei und den sollte der Junge wieder und wieder trainieren.

Nach einigen Wochen fragte der Junge: "Sag, Meister, sollte ich nicht mehrere Griffe lernen?"

Sein Lehrer antwortete: "Das ist der einzige Griff, denn du beherrschen musst." Obwohl der Junge die Antwort nicht verstand, fügte er sich und trainierte weiter. Irgendwann kam das erste Turnier, an dem der Junge teilnahm. Und zu seiner Verblüffung gewann er die ersten Kämpfe mühelos. Mit den Runden steigerte sich auch die Fähigkeit seiner Gegner, aber er schaffte es bis zum Finale. Dort stand er einem Jungen gegenüber, der sehr viel größer, älter und kräftiger war als er. Auch hatte der viel mehr Erfahrungen. Einige regten an, diesen ungleichen Kampf abzusagen und auch der Junge zweifelte einen Moment, dass er eine Chance haben würde. Der Meister aber bestand auf dem Kampf. Im Moment einer Unachtsamkeit seines Gegners gelang es dem

Jungen, seinen einzigen Griff anzuwenden und mit diesem gewann er zum Erstaunen aller.

Auf dem Heimweg sprachen der Meister und der Junge über den Kampf. Der Junge fragte: "Wie war es möglich, dass ich mit nur einem einzigen Griff das Turnier gewinnen konnte?" "Das hat zwei Gründe: Der Griff, den du beherrschst, ist einer der schwierigsten und besten Griffe im Judo. Darüber hinaus kann man sich gegen ihn nur verteidigen, indem man den linken Arm des Gegners zu fassen bekommt."

Und da wurde dem Jungen klar, dass seine größte Schwäche auch seine größte Stärke war.

Der König und seine zwei Söhne

Ein König hatte zwei Söhne. Als er alt wurde, da wollte er einen der beiden zu seinem Nachfolger bestellen. Er versammelte die Weisen des Landes und rief seine beiden Söhne herbei. Er gab jedem der beiden fünf Silberstücke und sagte: „Ihr sollt für dieses Geld die Halle in unserem Schloss bis zum Abend füllen. Womit, ist eure Sache."

Die Weisen sagten: "Das ist eine gute Aufgabe."

Der älteste Sohn ging davon und kam an einem Feld vorbei, wo die Arbeiter dabei waren, das Zuckerrohr zu ernten und in einer Mühle auszupressen. Das ausgepresste Zuckerrohr lag nutzlos umher.

Er dachte sich: "Das ist eine gute Gelegenheit, mit diesem nutzlosen Zeug die Halle meines Vaters zu füllen."

Mit dem Aufseher der Arbeiter wurde er einig, und sie schafften bis zum späten Nachmittag das gedroschene Zuckerrohr in die Halle. Als sie gefüllt war, ging er zu seinem Vater und sagte: „Ich habe deine Aufgabe erfüllt. Auf meinen Bruder brauchst du nicht mehr zu warten. Mach mich zu deinem Nachfolger."

Der Vater antwortet: „Es ist noch nicht Abend. Ich werde warten."

Bald darauf kam auch der jüngere Sohn. Er bat darum, das gedroschene Zuckerrohr wieder aus der Halle zu entfernen.

So geschah es. Dann stellte er mitten in die Halle eine Kerze und zündete sie an. Ihr Schein füllte die Halle bis in die letzte Ecke hinein.

Der Vater sagte: "Du sollst mein Nachfolger sein. Dein Bruder hat fünf Silberstücke ausgegeben, um die Halle mit nutzlosem Zeug zu füllen. Du hast nicht einmal ein Silberstück gebraucht und hast sie mit Licht erfüllt. Du hast sie mit dem gefüllt, was die Menschen brauchen."

Der taube Frosch

Eines Tages entschieden die Frösche, einen Wettlauf zu veranstalten. Um es besonders schwierig zu machen, legten sie als Ziel fest, auf den höchsten Punkt eines großen Turms zu gelangen. Am Tag des Wettlaufs versammelten sich viele andere Frösche, um zuzusehen. Dann endlich – der Wettlauf begann. Nun war es so, dass keiner der zuschauenden Frösche wirklich glaubte, dass auch nur ein einziger der teilnehmenden Frösche tatsächlich das Ziel erreichen könne.

Anstatt die Läufer anzufeuern, riefen sie also "Oje, die Armen! Sie werden es nie schaffen!" oder "Das ist einfach unmöglich!" oder "Das schafft Ihr nie!"

Und wirklich schien es, als sollte das Publikum Recht behalten, denn nach und nach gaben immer mehr Frösche auf.

Das Publikum schrie weiter: "Oje, die Armen! Sie werden es nie schaffen!" Und wirklich gaben bald alle Frösche auf – alle, bis auf einen einzigen, der unverdrossen an dem steilen Turm hinaufkletterte – und als einziger das Ziel erreichte.

Die Zuschauerfrösche waren vollkommen verdattert und alle wollten von ihm wissen, wie das möglich war. Einer der anderen Teilnehmerfrösche näherte sich ihm, um zu fragen, wie er es geschafft hatte, den Wettlauf zu gewinnen. Und da merkten sie erst, dass dieser Frosch taub war!

Der wilde Hund

Ein wilder Hund fror im Winter jämmerlich. Er kroch in eine Höhle, rollte sich zusammen, zitterte vor Kälte und sprach vor sich hin: „Wenn es nur wieder Sommer und warm wird, dann will ich mir eine Hütte bauen, damit ich im nächsten Winter nicht mehr frieren muss."

Als aber der Sommer mit seiner wohltuenden Wärme kam, hatte er seine guten Vorsätze vergessen.

Er lag da, reckte und streckte sich, blinzelte behaglich in die Sonne und dachte nicht mehr daran, sich eine Hütte zu bauen.

Der nächste Winter war bitter kalt, und der Hund musste erfrieren.

Die Blinden und der Elefant

Es waren einmal fünf weise Gelehrte. Sie alle waren blind. Diese Gelehrten wurden von ihrem König auf eine Reise geschickt und sollten herausfinden, was ein Elefant ist. Und so machten sich die Blinden auf die Reise nach Indien. Dort wurden sie von Helfern zu einem Elefanten geführt. Die fünf Gelehrten standen nun um das Tier herum und versuchten, sich durch Ertasten ein Bild von dem Elefanten zu machen. Als sie zurück zu ihrem König kamen, sollten sie ihm nun über den Elefanten berichten. Der erste Weise hatte am Kopf des Tieres gestanden und den Rüssel betastet.

Er sprach: "Ein Elefant ist wie ein langer Arm."

Der zweite Gelehrte hatte das Ohr des Elefanten ertastet und sprach: "Nein, ein Elefant ist vielmehr wie ein großer Fächer."

Der dritte Gelehrte sprach: "Aber nein, ein Elefant ist wie eine dicke Säule." Er hatte ein Bein des Elefanten berührt. Der vierte Weise sagte: "Also ich finde, ein Elefant ist wie eine kleine Strippe mit ein paar Haaren am Ende", denn er hatte nur den Schwanz des Elefanten ertastet.

Und der fünfte Weise berichtete seinem König: " Also ich sage, ein Elefant ist wie eine riesige Masse, mit Rundungen und ein paar Borsten darauf."

Dieser Gelehrte hatte den Rumpf des Tieres berührt.

Nach diesen widersprüchlichen Äußerungen fürchteten die Gelehrten den Zorn des Königs, konnten sie sich doch nicht darauf einigen, was ein Elefant wirklich ist.

Doch der König lächelte weise: "Ich danke Euch, denn ich weiß nun, was ein Elefant ist: Ein Elefant ist ein Tier mit einem Rüssel, der wie ein langer Arm ist, mit Ohren, die wie Fächer sind, mit Beinen, die wie starke Säulen sind, mit einem Schwanz, der einer kleinen Strippe mit ein paar Haaren daran gleicht und mit einem Rumpf, der wie eine große Masse mit Rundungen und ein paar Borsten ist."

Die Gelehrten senkten beschämt ihren Kopf, nachdem sie erkannten, dass jeder von ihnen nur einen Teil des Elefanten ertastet hatte und sie sich zu schnell damit zufriedengegeben hatten.

Die drei weisen Alten

Es war eines Tages im Frühling, als eine Frau vor ihrem Haus drei alte Männer stehen sah. Sie hatten lange weiße Bärte und sahen aus, als wären sie schon weit herumgekommen. Obwohl sie die Männer nicht kannte, folgte sie ihrem Impuls, sie zu fragen, ob sie vielleicht hungrig seien und mit hineinkommen wollten.

Da antwortete er eine von ihnen: "Sie sind sehr freundlich, aber es kann nur einer von uns mit Ihnen gehen. Sein Name ist Reichtum" und deutete dabei auf den Alten, der rechts von ihm stand.

Dann wies er auf den, der links von ihm stand und sagte: "Sein Name ist Erfolg. Und mein Name ist Liebe. Ihr müsst euch überlegen, wen von uns ihr ins Haus bitten wollt."

Die Frau ging ins Haus zurück und erzählte ihrem Mann, was sie gerade draußen erlebt hatte. Ihr Mann war hoch erfreut und sagte: "Toll, lass uns doch Reichtum einladen".

Seine Frau aber widersprach: "Nein, ich denke wir sollten lieber Erfolg einladen."

Die Tochter aber sagte: "Wäre es nicht schöner, wir würden Liebe einladen?"

"Sie hat Recht", sagte der Mann. "Geh raus und lade Liebe als unseren Gast ein". Und auch die Frau nickte und ging zu den Männern. Draußen sprach sie: "Wer von euch ist Liebe? Bitte kommen Sie rein und seien Sie unser Gast".

Liebe machte sich auf und ihm folgten die beiden anderen. Überrascht fragte die Frau Reichtum und Erfolg: "Ich habe nur Liebe eingeladen. Warum wollt Ihr nun auch mitkommen?"

Die alten Männer antworteten im Chor: "Wenn Sie Reichtum oder Erfolg eingeladen hätten, wären die beiden anderen draußen geblieben. Da Sie aber Liebe eingeladen haben, gehen die anderen dorthin, wohin die Liebe geht."

Eine Geschichte über den Anstand

Zwei Reisende kehrten einst hungrig in ein Gasthaus ein und sie bestellten sich Forellen. Der Wirt deckte den Tisch, bringt auf einer Schüssel eine große und eine kleine Forelle und wünscht gute Mahlzeit. Sofort nimmt einer der Reisenden die größere Forelle und fängt an, sie zu verzehren. Der andere ist darüber unmutig, dass sein Kamerad so rücksichtslos ist, gleich zur großen Forelle zu greifen und sagt ihm dies. Da fragte der vermeintlich Unverschämte: „Nun, wenn du dir zum Beispiel zuerst genommen hättest, welche Forelle hättest du gewählt?" worauf die Antwort erfolgte: „Ich hätte mir aus Anstand die Kleine genommen!" Also sprach der andere: „so hätte ich sowieso die große, die ich gleich genommen, erhalten; wozu also deine Aufregung?"

Leere Tasse

Eines Tages kam eine Schülerin zum Meister. Sie hatte schon so viel von dem weisen Mann gehört, dass sie unbedingt bei ihm studieren wollte. Sie hatte alle Angelegenheiten geregelt, ihr Bündel geschnürt und war den Berg hinaufgekommen, was sie zwei Tage Fußmarsch gekostet hatte. Als die junge Frau beim Meister ankam, saß der im Lotussitz auf dem Boden und trank Tee. Sie begrüßte ihn überschwänglich und erzählte ihm, was sie schon alles gelernt hatte. Dann bat sie ihn, bei ihm weiterlernen zu dürfen.

Der Meister lächelte freundlich und sagte: "Komm in einem Monat wieder."

Von dieser Antwort verwirrt, ging die junge Frau zurück ins Tal. Sie diskutierte mit Freunden und Bekannten darüber, warum der Meister sie wohl zurückgeschickt hatte. Einen Monat später, erklomm sie den Berg erneut und kam zum Meister, der wieder Tee trinkend am Boden saß.

Diesmal erzählte die Schülerin von all den Hypothesen und Vermutungen, die sie und ihre Freunde darüber hatten, warum er sie wohl fortgeschickt hatte. Und wieder bat sie ihn, bei ihm lernen zu dürfen.

Der Meister lächelte sie freundlich an und sagte: "Komm in einem Monat wieder."

Dieses Spiel wiederholte sich einige Male. Es war also nach vielen vergeblichen Versuchen, dass sich die junge Frau erneut aufmachte, um zu dem Meister zu gehen. Als sie diesmal beim Meister ankam und ihn wieder Tee trinkend vorfand, setzte sie sich ihm gegenüber, lächelte und sagte nichts. Nach einer Weile ging der Meister in seine Behausung und kam mit einer Tasse zurück.

Er schenkte ihr Tee ein und sagte dabei: "Jetzt kannst du hierbleiben, damit ich dich lehren kann. In ein volles Gefäß kann ich nichts füllen."

Zum Nachdenken

Unter Denken werden alle Vorgänge zusammengefasst, die aus einer inneren Beschäftigung mit Vorstellungen, Erinnerungen und Begriffen eine Erkenntnis zu formen versuchen. Bewusst werden dabei meist nur die Endprodukte des Denkens, nicht die Denkprozesse, die sie hervorbringen. Introspektive Vermutungen – Lautes Denken – sind jedoch sehr unzuverlässig.

Nachdenken – jemand stellt sich etwas oder eine Situation vor, und macht sich dabei viele Gedanken.

-Info von Wikipedia-

Der Diamant

Ein weiser Mann kam auf seiner Wanderung an den Rand eines kleinen Dorfes in den Bergen. Bei Einbruch der Dämmerung ließ er sich unter einem großen Baum nieder, um dort die Nacht zu verbringen.

Plötzlich kam ein ganz aufgeregter Dorfbewohner zu ihm gerannt und rief: "Der Stein! Der Stein! Gib mir den kostbaren Stein!"

"Welchen Stein?", fragte der Weise verwundert.

"Letzte Nacht schickte Gott mir einen Traum", sagte der aufgeregte Mann aus dem Dorf, wobei sich seine Stimme fast überschlug. "Er offenbarte mir, ich würde bei Einbruch der Dunkelheit am Rande des Dorfes einen weisen Mann finden. Der würde mir einen kostbaren Stein geben und damit hätte ich für immer ausgesorgt."

Daraufhin durchwühlte der weise Mann seinen Sack und zog einen großen Stein hervor. "Wahrscheinlich meinte er diesen hier", sagte er, während er dem Dorfbewohner den Stein reichte. "Ich fand ihn vor ein paar Tagen auf dem Weg durch den Wald. Du kannst ihn natürlich haben."

Aufgeregt betrachtete der Mann den Stein und konnte es kaum glauben. Was da in seiner Hand lag, war ein kostbarer Diamant. Wahrscheinlich der größte Diamant der Welt, denn er war fast so groß wie ein menschlicher Kopf. Er steckte den Stein in seine Tasche und ging hocherfreut ins

Dorf zurück. Aber in der Nacht wälzte sich der Mann in seinem Bett. Er konnte kein Auge zu tun. Am nächsten Morgen ging er noch vor Sonnenaufgang zu dem Baum, unter dem der weise Mann noch schlief.

Er weckte ihn und bat flehend: "Gib mir den Reichtum, der es dir ermöglicht hat, diesen kostbaren Diamanten so leichten Herzens wegzugeben."

Der Frosch und der Tausendfüßler

Ein Tausendfüßler war unterwegs auf seinen tausend Füßen. Eines Tages begegnete er einem Frosch. Der Frosch, der ein Philosoph war, beobachtete ihn eine Weile und machte sich Sorgen. Es war schon schwierig, auf vier Füßen zu gehen, doch dieser Tausendfüßler lief sogar auf tausend Füßen. Das war ein Wunder! Wie entschied der Tausendfüßler, welchen Fuß er zuerst versetzen musste und welchen dann und welchen danach? Also brachte der Frosch den Tausendfüßler zum Stehen und stellte ihm die Frage: "Du stellst mich vor ein Rätsel. Es gibt da ein Problem, das ich nicht lösen kann. Wie läufst du? Wie kriegst du das hin? Es scheint ein Ding der Unmöglichkeit!"

Der Tausendfüßler antwortete etwas erstaunt: "Ah, ich laufe schon mein ganzes Leben lang, aber ich habe eigentlich noch nie darüber nachgedacht. Nun, da du mich fragst, werde ich mal darüber nachdenken und dir dann antworten."

Zum ersten Mal entstanden Gedanken im Bewusstsein des Tausendfüßlers. Und ja, der Frosch hatte Recht – welchen Fuß musste er zuerst versetzen? Der Tausendfüßler stand ein paar Minuten da, er konnte keinen Fuß mehr rühren. Er schwankte und fiel um.

Und er sagte zu dem Frosch: "Stelle diese Frage bitte nie wieder. Ich laufe schon mein ganzes Leben lang herum und

hatte nie Probleme damit, doch nun hast du mein Todesur-
teil unterzeichnet! Ich kann keinen einzigen Fuß mehr versetzen und wie soll das dann erst mit wohl tausend Füssen?"

Der Schmetterling

Eines Tages erschien eine kleine Öffnung in einem Kokon; ein Mann beobachtete den zukünftigen Schmetterling für mehrere Stunden, wie dieser kämpfte, um seinen Körper durch jenes winzige Loch zu zwängen. Dann plötzlich schien er nicht mehr weiter zu kommen. Es schien als ob er so weit gekommen war wie es ging, aber jetzt aus eigener Kraft nicht mehr weitermachen konnte. So beschloss der Mann, ihm zu helfen: Er nahm eine Schere und machte den Kokon auf. Der Schmetterling kam dadurch sehr leicht heraus. Aber er hatte einen verkrüppelten Körper, er war winzig und hatte verschrumpelte Flügel.

Der Mann beobachtete das Geschehen weiter, weil er erwartete, dass die Flügel sich jeden Moment öffnen und sich ausdehnen würden, um den Körper des Schmetterlings zu stützen und ihm Spannkraft zu verleihen. Aber nichts davon geschah. Stattdessen verbrachte der Schmetterling den Rest seines Lebens krabbelnd mit einem verkrüppelten Körper und verschrumpelten Flügeln. Niemals war er fähig zu fliegen. Was der Mann in seiner Güte und seinem Wohlwollen nicht verstand, dass der begrenzende Kokon und das Ringen, das erforderlich ist damit der Schmetterling durch die kleine Öffnung kam, der Weg der Natur ist, um Flüssigkeit vom Körper des Schmetterlings in seine Flügel zu fördern. Dadurch wird er auf den Flug vorbereitet sobald er seine Freiheit aus dem Kokon erreicht.

Der Schüler

Ein Schüler von Lao Tse sprach: "Meister, ich habe ES erreicht."

Lao Tse sagte: "Wenn du behauptest, dass du ES erreicht hast, steht fest, dass du ES nicht erreicht hast."

Der Schüler wartete ein paar Monate und sagte eines Tages: "Sie hatten recht, Meister. ES hat ES nun erreicht."

Lao Tse schaute ihn mit viel Mitgefühl und Liebe an, streichelte ihm über den Kopf und sagte: "Nun stimmt es. Erzähl mir, was passiert ist. Ich würde es jetzt gerne hören."

Der Schüler antwortete: "Bis zu dem Tag, an dem Sie sagten: 'Wenn du behauptest, dass du ES erreicht hast, steht fest, dass du ES nicht erreicht hast', war für mich alles eine Anstrengung. Ich tat alles, was ich konnte, ich gab mein aller Bestes. An dem Tag, an dem Sie sagten: „Wenn du behauptest, dass du ES erreicht hast, steht fest, dass du ES nicht erreicht hast", traf es mich auf einmal. Wie konnte „Ich" ES erreichen? Wo das „Ich" doch das Hindernis ist, da musste ich Ihnen wohl recht geben."

"ES hat ES erreicht," sagte er, "und es kam erst an, als ich nicht mehr da war."

Lao Tse sprach: "Erkläre den anderen Schülern, unter welchen Umständen das geschehen ist."

Da antwortete er: "Das Einzige, was ich sagen kann, ist, dass ich nicht richtig oder falsch war, ich war kein Sünder und kein Heiliger, ich war nicht dieses oder jenes, ich war nicht jemand Besonderes als ES kam. Ich war nur etwas Passives, etwas erstaunlich Passives, einfach eine Tür, eine Öffnung. Ich hatte ES auch nicht eingeladen, denn selbst die Einladung wäre mit meiner Unterschrift versandt worden. Ich hatte ES tatsächlich völlig vergessen. Ich saß einfach da. Ich war nicht mal auf der Suche, ich suchte nichts, ich erkundigte mich nach nichts. Ich war nicht da und plötzlich wurde ich davon überflutet."

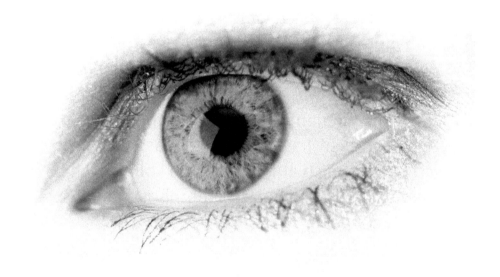

Die gefährliche Wunde

Ein junger Hasenfuß erhielt in einer Schenke bei einer Schlägerei einst einen kleinen Ritz. Er säumte nicht, nach dem Chirurg zu senden. Der kam auch gleich gerannt als wie der Blitz, mit Salben, Pflastern und Scharpie in beiden Händen, und aufmerksam besah er unseren Patienten.

"Lauf gleich nach Haus," sprach er zum Knecht, der bei ihm war, "und bringe Spiritus!"

"Es hat Gefahr?" rief der erschrockene Patient.

"Ich denke, die höchste," sprach der Arzt, denn wenn der Bursch nicht eilt, so ist noch, eh er kommt die Wunde zugeheilt.

Kämpfen ohne Ego

Es war einmal ein berühmter Kalif genannt Omar. Er kämpfte schon dreißig Jahre mit seinem Gegner. Der Gegner war stark und dadurch war es beinahe ein lebenslanger Kampf. Eines Tages jedoch fiel der Gegner vom Pferd und Omar sprang mit dem Speer in der Hand auf seine Brust. Innerhalb weniger Sekunden hätte sein Speer das Herz des Mannes durchbohren können und damit wäre der Kampf ein für alle Mal beendet gewesen. Doch in dem kurzen Augenblick, in dem er auf dem Boden lag, tat der Gegner nur eines: er spuckte Omar ins Angesicht. Überrascht griff Omar sich ins Gesicht, und sagte: "Morgen beginnen wir aufs Neue."

Sein Feind war verwirrt und rief: "Wieso? Was ist los mit dir? Ich habe dreißig Jahre hierauf gewartet und du auch. Ich hatte gehofft, dass ich eines schönen Tages mit meinem Speer in der Hand auf deiner Brust sitzen würde und es dann vorbei wäre. Ich habe diese Chance nie bekommen, du aber wohl. Du hättest mich mit einem Schlag erledigen können. Warum hast du es nicht getan?"

Omar antwortete: "Dies ist kein gewöhnlicher Kampf. Ich habe ein Gelöbnis abgelegt, dass ich kämpfen werde, ohne mich zu erzürnen. Dreißig Jahre lang habe ich ohne Zorn gekämpft. Doch als du mich bespuckt hast, entflammte in mir Wut und es wurde zu etwas Persönlichem. Ich wollte dich töten, plötzlich übernahm das Ego in mir das Steuer. Bis jetzt hatte ich dreißig Jahre damit keine Probleme, wir kämpften mit einem bestimmten Ziel. Du warst nicht mein Feind, es war nicht persönlich. Ich wollte mein Ziel erreichen und das Ziel war nicht, dich zu töten, sondern mich selbst zu überwinden. Doch soeben vergaß ich das Ziel, du wurdest mein Feind und ich wollte dich umbringen. Darum kann ich dich jetzt nicht töten. Morgen beginnen wir aufs Neue."

Doch der Kampf begann nie wieder von Neuem, denn sein Feind wurde sein Freund. Und der Freund bat Omar: "Nun will ich gerne von dir lernen. Sei mein Meister und lass mich dein Schüler sein. Ich möchte lernen zu kämpfen, ohne mich zu erzürnen."

Zwei Engel - eine kluge Geschichte

Zwei reisende Engel machten Halt, um die Nacht im Hause einer wohlhabenden Familie zu verbringen. Die Familie war unhöflich und verweigerte den Engeln im Gästezimmer des Haupthauses auszuruhen. Anstelle dessen, bekamen sie einen kleinen Platz im kalten Keller. Als sie sich auf dem harten Boden ausstreckten, sah der ältere Engel ein Loch in der Wand und reparierte es. Als der jüngere Engel fragte, warum, antwortete der ältere Engel: "Die Dinge sind nicht immer das, was sie zu sein scheinen."

In der nächsten Nacht rasteten die beiden im Haus eines sehr armen, aber gastfreundlichen Bauern und seiner Frau. Nachdem sie das wenige Essen, das sie hatten, mit ihnen geteilt hatten, ließen sie die Engel in ihrem Bett schlafen, wo sie gut schliefen. Als die Sonne am nächsten Tag den Himmel erklomm, fanden die Engel den Bauern und seine Frau in Tränen. Ihre einzige Kuh, deren Milch ihr einziges Einkommen gewesen war, lag tot auf dem Feld. Der jüngere Engel wurde wütend und fragte den älteren Engel, wie er das habe geschehen lassen können?

"Der erste Mann hatte alles, trotzdem halfst du ihm", meinte er anklagend.

"Die zweite Familie hatte wenig, und du ließt die Kuh sterben."

"Die Dinge sind nicht immer das, was sie zu sein scheinen", sagte der ältere Engel.

"Als wir im kalten Keller des Haupthauses ruhten, bemerkte ich, dass Gold in diesem Loch in der Wand steckte. Weil der Eigentümer so von Gier besessen war und sein glückliches Schicksal nicht teilen wollte, versiegelte ich die Wand, sodass er es nicht finden konnte. Als wir dann in der letzten Nacht im Bett des Bauern schliefen, kam der Engel des Todes, um seine Frau zu holen. Ich gab ihm die Kuh anstatt dessen. Die Dinge sind nicht immer das, was sie zu sein scheinen."

Manchmal ist das genau das, was passiert, wenn die Dinge sich nicht als das entpuppen, was sie sollten. Wenn du Vertrauen hast, musst du dich bloß darauf verlassen, dass jedes Ergebnis zu deinem Vorteil ist. Du magst es nicht bemerken, bevor ein bisschen Zeit vergangen ist...

Die Wünsche des Bauern - eine weise Geschichte

Es war einmal ein armer chinesischer Reisbauer, der trotz all seinem Fleiß in seinem Leben nicht vorwärts kam. Eines Abends begegnete ihm der Mondhase, von dem jedes Kind weiß, dass er den Menschen jeden Wunsch erfüllen kann.

"Ich bin gekommen", sagte der Mondhase, "um dir zu helfen. Ich werde dich auf den Wunschberg bringen, wo du dir aussuchen kannst, was immer du willst."

Und ehe er sich versah, fand sich der Reisbauer vor einem prächtigen Tor wieder. Über dem Tor stand geschrieben: "Jeder Wunsch wird Wirklichkeit".

Schön, dachte der Bauer und rieb sich die Hände. Mein armseliges Leben hat nun endlich ein Ende. Erwartungsvoll trat er durch das Tor. Ein weißhaariger, alter Mann stand am Tor und begrüßte den Bauern mit den Worten: "Was immer du dir wünschst, wird sich erfüllen. Aber zuerst musst du ja wissen, was man sich überhaupt alles wünschen kann. Daher folge mir!"

Der alte Mann führte den Bauern durch mehrere Säle, einer schöner als der andere. "Hier", sprach der Weise, "im ersten Saal siehst du das Schwert des Ruhmes. Wer sich das wünscht, wird ein gewaltiger General. Er eilt von Sieg zu Sieg und sein Name wird auch noch in den fernsten Zeiten genannt. Willst du das?"

Nicht schlecht, dachte sich der Bauer, Ruhm ist eine schöne Sache und ich möchte zu gerne die Gesichter der Leute im Dorf sehen, wenn ich General werden würde. Aber ich will es mir noch einmal überlegen. Also sagte er: "Gehen wir erst einmal weiter."

"Gut, gehen wir weiter!" sagte der Weise lächelnd. Im zweiten Saal zeigte er dem Bauern das Buch der Weisheit. "Wer sich dieses wünscht, dem werden alle Geheimnisse des Himmels und der Erde offenbart."

Der Bauer meinte: "Ich habe mir schon immer gewünscht, viel zu wissen. Das wäre vielleicht das Rechte. Aber ich will es mir noch einmal überlegen."

Im dritten Saal befand sich ein Kästchen aus purem Gold. "Das ist die Truhe des Reichtums. Wer sich die wünscht, dem fliegt das Gold zu, ob er nun arbeitet oder nicht."

"Ha!" lachte der Bauer, "Das wird das Richtige sein. Wer reich ist, der ist der glücklichste Mensch der Welt. Aber Moment! Glück und Reichtum sind ja zwei verschiedene Dinge. Ich weiß nicht recht. Gehen wir noch weiter."

Und so ging der Bauer von Saal zu Saal, ohne sich für etwas zu entscheiden. Als sie den letzten Saal gesehen hatten, sagte der alte Mann zum Bauern: "Nun wähle. Was immer du dir wünschst, wird erfüllt werden!"

"Du musst mir noch ein wenig Zeit lassen!" sagte der Bauer "Ich muss mir die Sache noch etwas überlegen. In diesem Augenblick aber ging das Tor hinter ihm zu und der Weise war verschwunden. Der Bauer fand sich zu Hause wieder. Der Mondhase saß wieder vor ihm und sprach: "Armer Bauer, wie du, sind die meisten Menschen. Sie wissen nicht, was sie sich wünschen sollen. Sie wünschen sich alles und bekommen nichts. Was immer sich einer wünscht, das schenken ihm die Götter - aber der Mensch muss wissen, was er will ...

Die Geburt des Schmetterling

Ein Wissenschaftler beobachtete einen Schmetterling und sah, wie sehr sich dieser abmühte, durch das enge Loch aus dem Kokon zu schlüpfen.

Stundenlang kämpfte der Schmetterling, um sich daraus zu befreien. Da bekam der Wissenschaftler Mitleid mit dem Schmetterling, ging in die Küche, holte ein kleines Messer und weitete vorsichtig das Loch im Kokon damit sich der Schmetterling leichter befreien konnte.

Der Schmetterling entschlüpfte sehr schnell und sehr leicht. Doch was der Mann dann sah, erschreckte ihn doch sehr. Der Schmetterling der da entschlüpfte, war ein Krüppel.

Die Flügel waren ganz kurz und er konnte nur flattern aber nicht richtig fliegen. Da ging der Wissenschaftler zu einem Freund, einem Biologen, und fragte diesen: "Warum sind die Flügel so kurz und warum kann dieser Schmetterling nicht richtig fliegen?" Der Biologe fragte ihn, was er denn gemacht hätte. Da erzählte der Wissenschaftler dass er dem Schmetterling geholfen hatte, leichter aus dem Kokon zu schlüpfen. "Das war das Schlimmste was du tun konntest. Denn durch die enge Öffnung, ist der Schmetterling gezwungen, sich hindurchzuquetschen.

Erst dadurch werden seine Flügel aus dem Körper herausgequetscht und wenn er dann ganz ausgeschlüpft ist, kann er fliegen. Weil du ihm geholfen hast und den Schmerz ersparen wolltest, hast du ihm zwar kurzfristig geholfen, aber langfristig zum Krüppel gemacht."

Wir brauchen manchmal den Schmerz um uns entfalten zu können - um der oder die zu sein, die wir sein können. Deshalb ist die Not oft notwendig - die Entwicklungschance die wir nutzen können.

Legenden über Tiere

Der Begriff Tier (lat. animal), im Deutschen zurückgehend auf althochdeutsch tior (Seelentier, wildes Tier) und verwandt mit gotisch dius (atmendes Wesen), wurde bereits im Altertum geprägt. Bis zum 19. und dem Anfang des 20. Jahrhunderts wurde nur zwischen Tieren (Animalia) und Pflanzen (Plantae) unterschieden, in einführenden Lehrwerken hatte diese Zweiteilung noch lange Bestand.

-Info von Wikipedia-

Die Eule

In schwülen Sommernächten ertönt von manchem Dachfirste der beängstigende Ruf: „Hohu - huhu!" Das ist der Ruf des Totenwichtels (Käuzchens), der verkündet, dass eines aus dem Hause sterben muss. Dann gehen die Leute des Hauses wochenlang kleinlaut und kopfhängerisch herum. Trifft aber die Totenankündigung nicht ein, so heißt es halt: „S' Wichtel hat sich verflogen!" Man meint damit, es habe das Haus verfehlt, weil just aus einem anderen Hause eines verstorben ist. Schreit das Wichtel auf dem Kirchendach, so hat die Gemeinde einen bösen Pfarrer. Setzt es sich auf das Feuerwehrdepot, so droht dem Orte Krieg oder Brand. Ruht es im Fluge, so soll man zu ihm nicht emporschauen.

Das Wichtel gilt wie die Schwalbe (letztere auch Marienvogel genannt) als geweihtes Tier. Wer sich an demselben vergreift, den trifft die Strafe des Himmels. So erblindete tatsächlich ein glaubenloser Fleischhauer, weil er Wichtel vom Dache geschossen hatte.

Wenn der Waldkauz, das Wichtel, die Steineule, der Uhu (Auf) vor dem Fenster schreit, so stirbt bald jemand im Hause. Darum wird die Eule auch Totenvogel genannt. Wenn eine Eule über ein Haus fliegt und schreit: „Kuwitt!", so meinen die Leute, sie sagt: „Komm mit!".

Der Kuckuck

Der Kuckuck ist ein verwunschener Müller, der den armen Leuten das Mehl und Brot vorbehielt und darum jetzt als Vogel ein mehlbestäubtes Gefieder tragen muss.

In der Ötschergegend hört man folgende Legende: Christus kam auf seinen Wanderungen an einer Mühle, nach anderen an einem Bäckerladen vorüber und sandte seine Jünger hinein, um Brot zu erbitten. Aber der Müller oder Bäcker wies die Bittenden ab. Seine Frau hingegen und ihre sechs Töchter trugen dem Herrn heimlich Brot zu. Daher sind sie als Siebengestirn (Plejaden) an den Himmel versetzt, der hartherzige Müller oder Bäcker aber zum Kuckuck verwandelt worden. Daher kommt es, dass, so lang der Kuckuck ruft, von Tibartii (14. April) bis Johann! (24. Juni), das Siebengestirn am Himmel nicht gesehen wird. Der Kuckuck muss schreien am 14. April, schreit er, wo er will.

Wenn man den Kuckuck das erste Mal schreien hört, soll man Geld im Sacke haben und damit scheppern, dann wird es das ganze Jahr nicht zu wenig. Wenn man den Kuckuck das erste Mal hört, soll man aufpassen, wie oft er schreit, denn so viele Jahre lebt man noch. Sobald das erste Mandel (Garbenfigur) auf dem Felde steht, hört der Kuckuck zu schreien auf und fangen die Geier zu schreien an. Deswegen meinen die Leute, der Kuckuck werde im Herbste ein Geier.

Der Fuchs

„Wo der Fuchs herumrennt, dort stiehlt er nicht." Das heißt, wo er sich aufhält, stiehlt er keine Hühner. Dieser Spruch wird auch auf die menschlichen Diebe angewendet. Wenn der Fuchs seine Jungen zu einem Bauernhof legt, stiehlt er dort keine Hühner.

Wenn Milch anbrennt, sagt man, da hätte der Fuchs seinen Schweif hineingehalten.

Wenn ein Kind eine angebrannte Suppe nicht essen will, ermuntert man es mit den Worten: „Wer eine angebrannte Suppe ist, den kriegt der Fuchs nicht."

Einem unartigen Kinde droht man: „Wenn du nicht brav bist, holt dich der Fuchs."

Der Bär

Der Bär ist ein verwunschener Weber. Es war nämlich einmal ein Weber, der sehr ungeduldig war und in seinem Zorne lästerlich fluchte. Als ihm eines Tages das Garn in einem fort zerriss, fluchte er wieder schauderhaft und stieß endlich die Verwünschung aus, er wolle samt seinem Weibe lieber als das wildeste Tier im Walde leben als ein Weber sein. Sofort wurden er und sein Weib in Bären verwandelt und liefen in den Wald.

Zum Zeichen, dass der Bär ein Mensch gewesen ist, hat er noch menschenähnliche Fußsohlen. Daher gleichen auch seine Tritte den Fußstapfen des Menschen.

Das Wiesel

Jedes Haus hat ein Wieserl. Dem Hauswieserl soll man nichts tun, sonst hat man Unglück. Man soll Vieh von der Farbe einstellen, welche das Hauswieserl hat.

Dann hat man Glück mit dem Vieh. Denn die Kühe, welche die Farbe des Hauswiesels haben, sind gefeit gegen bösen Einfluss. Wann sich die Wiesel sehen lassen, kommt grobes Wetter. Wenn man ein weißes Wiesel sieht, kommt noch ein Schnee. Das Wiesel ist giftig und hat auch einen giftigen Hauch. Wenn eine Katze ein Wiesel frisst, so wird sie hin. Wer ein Wiesel reizt, den bläst es an, worauf er anschwillt.

Der Maulwurf

Der Scher (Maulwurf) ist ein verwunschener Wegmacher. Es war nämlich einmal ein Wegmacher, der nicht arbeiten wollte. Einmal verfluchte er sein Leben und sagte, er wolle lieber als Tier unter der Erde wühlen, als bei Regenwetter, dann wieder bei heißem Sonnenschein arbeiten müssen. Da erfüllte sich seine Verwünschung. Gott verwandelte ihn in den Scher. Der hat noch Menschenhänden ähnliche Pfoten und kann zur Strafe über keinen Fahrweg laufen, ohne sein Leben (unter den fahrenden Wägen und stampfenden Hufen) lassen zu müssen. Darum findet man nicht selten auf Fahrwegen einen toten Scher.

Wer einen vor Georgi gefangenen Scher (Maulwurf) in der Hand so lange festhält bis er tot ist, und eines seiner Vorderprankerl aufbewahrt, kann jedes Gwachst am menschlichen Leibe töten, indem er das Scherprankerl auflegt.

Die Katze

Wenn sich die Katze wäscht und putzt, so kommt am selben Tage noch wer seltsamer, sauberer, schöner. Wäscht sie sich mit der linken Pfote, so kommt ein Mann, wäscht sie sich mit der rechten Pfote, so kommt eine Frau.

Andere sagen: Fährt sie mit der Pfote über die Ohren, so kommt eine Mannsperson, putzt sie sich nur das Gesicht, so kommt eine Weibsperson. Wer von einer Katze träumt, der hat jemand Falschen um sich.

Eine Katze soll man nicht umbringen, sonst wird dafür ein anderes Stück Vieh im Hause hin. Wenn die Katze Gras frisst, kommt Regen.

Haushühner

Wenn ein Hahn neun Jahre alt wird, legt er ein Ei und aus dem wird ein Lindwurm. Wenn eine Henne neun Jahre alt wird, so wird sie ein Hahn und kräht wie ein Hahn.

Sobald eine Henne zu krähen beginnt, gilt sie als unglückbringend und wird geschlachtet. Wenn eine Henne kräht, so wird man Unglück haben.

Mädchen, die pfeifen und Hühner, die krähen - denen soll man beiden den Hals umdrehen.

Fressen die Hühner die Küchenschelle, so legen sie das ganze Jahr kein Ei. Bodeln sich die Hühner im Staube, so bleibt es schön.

Gehen die Hühner vor 6 Uhr abends auf den Aufsitz, so ist es morgen schön. Gehen sie spät auf den Aufsitz, so regnet es den nächsten Tag.

Gehen die Hühner weit ins Feld und lange nicht heim, so tritt schlechtes Wetter ein. Eier zu stehlen ist eine überaus große Sünde. Eier soll man nie ausleihen, eher verschenken. Eierschalen soll man nicht in den Mist werfen. Wenn man weichgesottene Eier isst, soll man die Schalen im Teller zerdrücken, sonst kann man krank werden.

Die Spinne

Wenn einem morgens eine Spinne über den Leib läuft, sieht man sie als Unglücksbotin an und tötet sie oder schleudert sie weg. Nachmittags aber sieht man sie als Glücksbotin an und schont sie. Daher der Reimspruch:

„Spinnerin am Morgen bringt Kummer und Sorgen.

Spinnerin am Abend bringt Glück und Gaben."

Der ausgerissene Spinnenfuß zuckt so lange fort, bis er ruckweise wieder zum Tiere kommt.

Spinnenhäute soll man nicht wegfegen, weder im Stalle, noch im Vorhaus.

Wenn man in einem Haus Spinnweben sieht, sagt man: Da ist eine Braut im Haus! Denn die Spinnweben sind Heiratsbriefe.

Ein Bauer kaufte eine Kuh, die schön fleißig war und viel Milch gab. Aber nach einiger Zeit magerte sie ab und hörte zu milchen auf. Wann der Bauer nach dem Füttern aus dem Stalle ging, schaute ihm die Kuh allemal nach und plärrte. Daraus erkannte er, dass sie von ihrem vorigen Besitzer etwas Besonderes bekommen hatte, was ihm dieser verschwiegen hatte. Erzürnt ging er zu jenem alten Bauer und würgte ihn drohend: „Wenn du mir nicht sagst, was du der Kuh Besonderes gegeben hast, dann …!"

Da sagte der Alte: „A Spinnaweckerl afs Brot houf s kriagt olle Ton!"

Der Käufer gab ihr fortan die gewohnte Maulgabe und sie ward wieder leibig und milchreich.

Mit Spinnwecken (Spinnweben) kann man das Blut stillen.

Wider das Fieber kennt man ein Mittel: Man bindet nämlich die gesamten Spinnweben, die in den Kammern und auf dem Boden aufgetrieben werden können, um Mitternacht auf den Puls der Fiebernden. Es hilft!

Warum der Storch die Babys bringt

Der Weißstorch (auch Adebar, Heilebart, Hoierboer, Klapperstorch, Knickerbein, Langbein oder Stelzbein genannt bringt der Legende nach die Babies. Dieses Märchen hat sich wahrscheinlich erst im 18. Jahrhundert herausgebildet. Danach soll der Storch die Kinder aus einem Brunnen holen und anschließend die Mutter ins Bein beißen, damit sie sich ins Bett legen muss, in das Meister Adebar das Kind legt.

Dieser Aberglaube kursierte früher vor allem in Norddeutschland. Die Herkunft ist weitgehend unbekannt. Es gibt allerdings Vermutungen. So soll der Ausdruck „Der Storch hat die Mutter ins Bein gebissen" auf die mythologische Vorstellung von der Geburt aus dem Bein zurückgehen. Der Brunnen, aus dem der Storch die Kinder holen soll, ist vielleicht ein Bild für die Vorstellung, dass sich Ungeborene im Wasser aufhalten. Der Hintergrund könnte der Glaube daran sein, dass alles Leben dem Wasser entstammt.

Es gibt auch eine Theorie, nach der die Sage auf mittelalterliche Holzschnitte von Störchen, die Frösche im Maul tragen, zurückgeht. Die grob geschnitzten Frösche ähnelten kleinen Kindern. Und es gibt natürlich auch eine psychoanalytische Deutung, nach der der Storchenschnabel als Bild des Phallus, der Brunnen als Symbol des Mutterschoßes angenommen wird.

Warum Katzen neun Leben haben

Mit neun Leben ließe sich das ein oder andere anstellen! Es gibt ganz unterschiedliche Meinungen darüber, wie der Spruch entstanden ist. Die meisten sagen: Katzen landen immer auf ihren Pfoten und überleben daher hohe Stürze. Doch warum sind es dann insgesamt neun Leben und nicht etwa zwei oder drei oder unendlich viele Leben?

Es gibt da noch eine andere Theorie: Katzen wurden im alten Ägypten von den Pharaonen als Vorkoster eingesetzt. Ein Essen bestand meist aus bis zu neun Speisen und bei der Hitze kam es schon mal vor, dass die ein oder andere davon verdorben war. Also galt die Faustregel: Wenn die Katze die Pfoten von einer Speise lässt, ist es clever, die eigenen auch davon zu lassen.

Andererseits waren Katzen im alten Ägypten heilige Tiere und wurden als Grenzgänger zwischen der Welt der Lebenden und der Toten verehrt. Wenn jemand für den Tod einer Katze verantwortlich war, musste derjenige sogar mit der Todesstrafe rechnen. Und wenn eine Katze starb, rasierten sich alle Hausbewohner die Augenbrauen.

Ob Katzen daher tatsächlich als Vorkoster eingesetzt wurden und in Kauf genommen wurde, dass sie dabei sterben, scheint fraglich.

Die Maus

In manchen Gegenden schreibt der Bauer zu Nikasius vor
Sonnenaufgang drei Andreaskreuze an das Scheunen- und
Schütteltor. Die helfen wider die Mäuse. Wer in der Fastenzeit Strohbänder macht, dem kommen die Mäuse nicht in
die Kornkammer. Fluchst du den Feldmäusen, so sagt man,
so vermehren sie sich siebenmal.

Die Fledermaus

Man fürchtet die Fledermaus, weil man meint, dass sie sich in den Haaren der Menschen zu verwickeln suche oder sie auszureißen versuche. Wenn man einer lebendigen Fledermaus das Herz herausschneidet und es mit einem roten Seidenfaden an den rechten Arm bindet (im Ärmel), so hat man immer Glück beim Spiel.

Legenden zum Jahrekreislauf

Als Kirchenjahr oder Jahreskreislauf (lateinisch annus ecclesiasticus oder annus liturgicus; auch liturgisches Jahr oder Herrenjahr) bezeichnet man im Christentum eine jährlich wiederkehrende festgelegte Abfolge von christlichen Festen und Festzeiten, nach der sich vor allem die Gottesdienstpraxis und Liturgie richten. Das Kirchenjahr beginnt nach katholischer wie evangelischer Tradition mit der Vesper am

Vorabend zum ersten Adventssonntag, die orthodoxen Kirchen beginnen es am 1. September, in Vorbereitung auf das Fest Mariä Geburt am 8. September.

Dhū l-Hiddscha

Dhū l-Hiddscha ist der Name des zwölften und letzten Monats im Jahreskreislauf des islamischen Kalenders. Im Dhū l-Hiddscha findet der Haddsch statt, von dem sich der Name des Monats ableitet, sowie auch das islamische Opferfest. Vor Einführung des islamischen Mondkalenders lag der Monat im Herbst. Zusammen mit den Monaten Dhu l-qaʿda, Muharram und Radschab bildete er die vier heiligen Monate. Für manche Muslime gelten der sechste und fünfundzwanzigste Tag des Monats als negativ.

-Info von Wikipedia-

Der Tag der unschuldigen Kinder

Am Tage der unschuldigen Kinder (28. Dezember) darf kein Dreschstroh auf der Tenne liegen bleiben, sonst müssen die unschuldigen Kindlein durchwaten.

Die Windtage und der Wassertag

Der 29. Dezember heißt hie und da der Windtag. An diesem Tag opfert man der Windbraut, indem man Speiseteile auf die Herdpflöcke (Zaunpflöcke) legt.

Der 30. Dezember heißt auch der Wassertag. An diesem Tag wirft der Ober-Mühlbursche von jeder Richt des Mittagsmahles ein Weniges in den Wehrtümpel und zwar fürs Wassermandel.

Neujahr

Der Landwirt legt in der Neujahrsnacht Ziegel oder Steine auf die Äste seiner Apfelbäume, damit die Blüten nicht durch den Blitz versengt werden. Geht man am Neujahrstage zum ersten Mal zur Tür hinaus und begegnet einer jungen Person, hat man dieses Jahr Glück, im entgegengesetzten Falle Unglück. Wer am Neujahrstage einen gesottenen Schweinsrüssel isst, dem geht das ganze Jahr hindurch das Geld nicht aus.

Die Johannisfeuer

Dem Prediger Johannes feindlich gesinnte Leute gingen eines Abends aus, den grimmig gehassten Bußprediger Johannes den Täufer in der Wüste zu fangen, und verabredeten sich, wer ihn zuerst finde, soll ein Feuer anzünden, um durch dieses Zeichen die übrigen Verfolger zur Hilfe herbeizurufen. Als nun einer den verwünschten Strafprediger gefunden hatte und ein Feuer anzündete, flammten in der ganzen Gegend um und um Feuer auf, so dass sie wieder nicht wussten, wohin sie sich wenden sollten. Also wurde der heilige Johannes wunderbar gerettet. Zum frommen Gedenken dessen brennt das Volk seither die Johannisfeuer, welche auch Sunnawendfeuer genannt werden.

Bei St. Polten glaubt man, der heilige Johannes habe während der Taufe im Jordan eine brennende Kerze getragen. Daran erkannten ihn seine Verfolger. Als sie ihn ergreifen wollten, sahen sie plötzlich eine Menge Lichter und wurden dadurch irregeleitet. Zum Andenken daran werden die Johannisfeuer gebrannt.

Der Johannistag ist der 24. Juni.

(Anmerkung von Pfarrer Leeb:

Da der Sunnawendfeuer-Mann einen breiten Hut trägt, einen Schimmel reitet und den Regen und den Wind macht wie Wotan, ist es klar, daß die Sonnenwendfeuer in der

Heidenzeit dem Wotan galten. Die christliche Umdeutung der Sonnwendfeuer in Johannisfeuer ging aus der Gleichzeitigkeit des heidnischen Festes der Sommersonnenwende mit dem christlichen Fest des heiligen Johannes, des Herolds des Lichtes der Welt, hervor.)

Markus Wöhrer – Journalist und Schriftsteller

geb. am 1. Oktober 1973 in Wiener Neustadt (Österreich)

Bücher Geschichten zum Träumen – wunderschöne Märchen aus der ganzen Welt

In libro de fabulis – Sagen aus aller Welt - Teil 1 (limitierte Auflage)

In libro de fabulis – Sagen aus aller Welt - Teil 2 (limitierte Auflage)

Achtung nur ist der Freundschaft unfehlbares Band

Ein Weg zum Träumen – Teil 1

Ein Weg zum Träumen - Teil 2

Wege zum Träumen – Teil 3

Eine magische Reise – Teil 1

Eine magische Reise – Teil 2

Die Türkei – meine zweite Heimat

Mail: TheBridges.WM@hotmail.com

Bildquellen: